JN027678

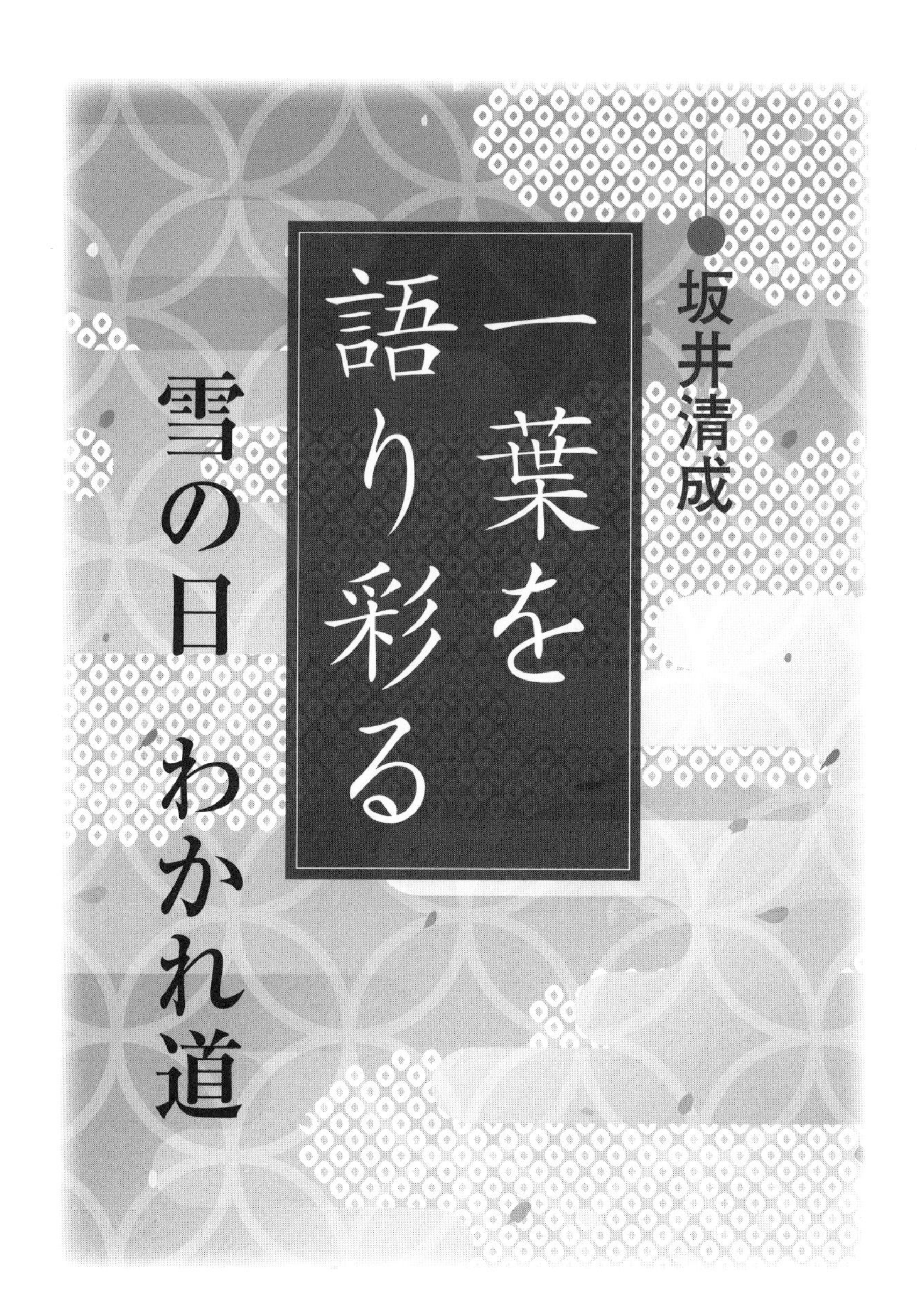

子どもの未来社

はじめに

この本は、二〇一九年に出版した『鏡花を語り彩る』の姉妹本とも言えるものであります。

私の主宰する音声表現学苑では、二〇一七年、「鏡花・一葉を如何に語るか」をテーマに特別講座を開きました。その後、これを活字化した『鏡花を語り彩る』を出版したところ幸い好評で、この度その第二弾として、一葉篇を出すことになりました。

尚、講座では一葉の作品から、「雪の日」と「この子」を取り上げましたが、「この子」は「雪の日」と同じく、語りを主とするものなので、あまり代わり映えがしないと考え、書籍化に当たっては、「この子」を、もう少しドラマ性の強い「わかれ道」に変更させて頂きました。

二作のうち「雪の日」は、一葉がそれまで師事していた半井桃水と決別して、新しい創作へと第一歩を踏み出した記念すべき作品です。

一方、「わかれ道」は、更にそれより数年を経過した後、これまでの叙述体を捨て、登場人物の会話によってストーリーを展開させて行くという手法に辿りついた、まさに斬新的な作品と言えましょう。

今回は、この全く色の違った二作を取り上げて、それぞれ如何に音声表現するかを、皆さんと一緒に考えて行きたいと思います。

目次

一葉を語り彩る　雪の日　わかれ道

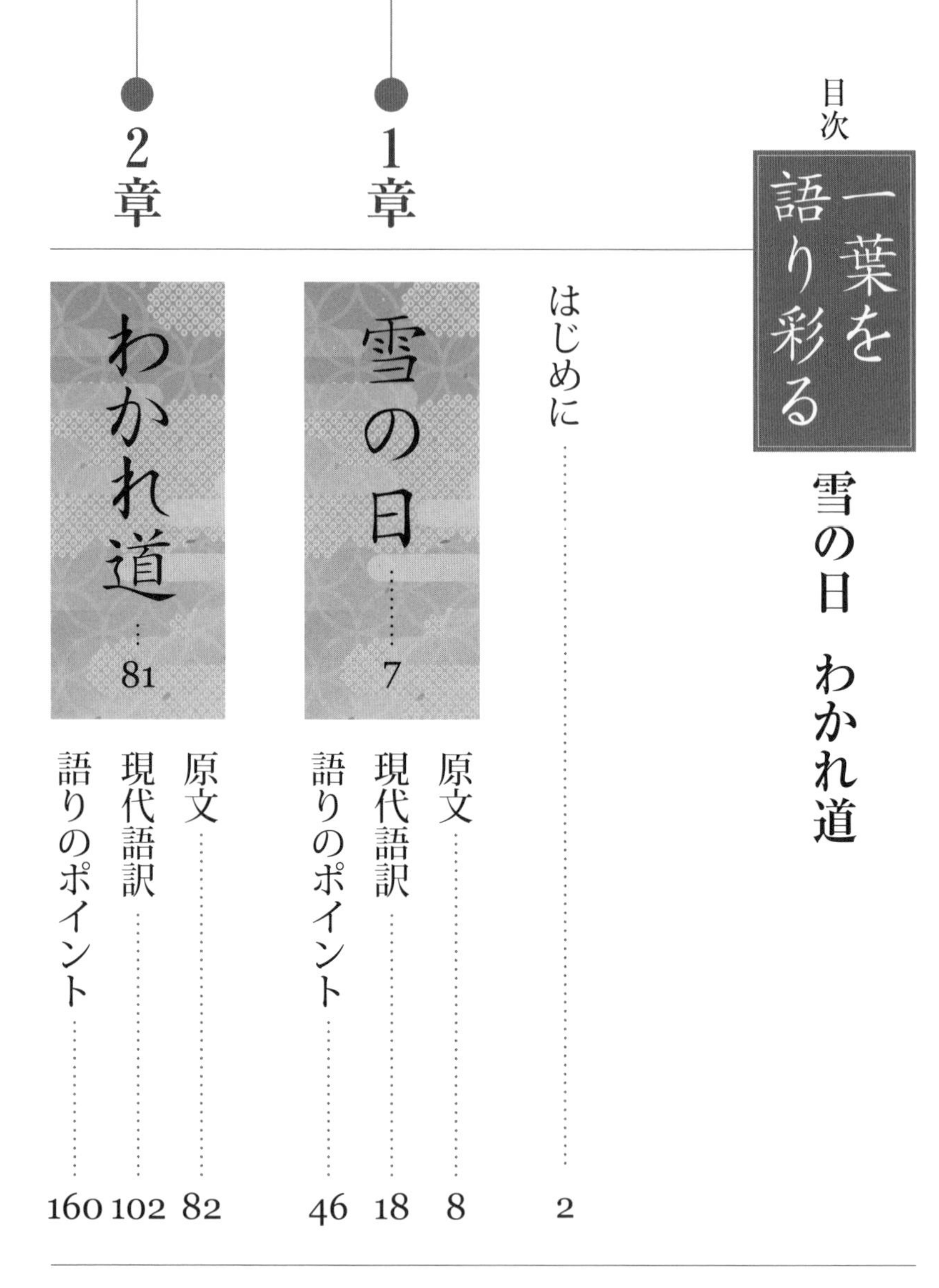

はじめに……2

1章　雪の日……7

原文……8
現代語訳……18
語りのポイント……46

2章　わかれ道……81

原文……82
現代語訳……102
語りのポイント……160

●コラム●

一葉「雪の日」誕生秘話……75
子供の芸「角兵衛獅子」……80
一葉作品に登場「着物」……101
浄瑠璃の「桂川連理柵」……185
一葉作品の「わらべ唄」……219
一葉を支えた妹、邦子……248

付録 〝イントネーション〟と〝アクセント〟……247
1 アクセントとは……246
●アクセントの種類……244
〈語アクセント 244／文節アクセント 244／文アクセント 243〉
●アクセントの型の種類……243

2 イントネーションとは……240
●イントネーションとアクセント……237
〈一語読み 237／二音上げ（読み） 236／メリハリ読み 235〉
●イントネーションとプロミネンス……228

おわりに……249

◎原文の定本には、『筑摩現代文学大系3 幸田露伴 樋口一葉 集』「雪の日」「わかれ道」（筑摩書房発行／一九七八年一月一五日 初版第一刷発行）を使用し、ふりがなは、一部当時の読み方や著者の朗読の読みに変え、必要に応じて新たに振りました。なお、著者の「雪の日」「わかれ道」の朗読（「樋口一葉 坂井清成」で検索 www.youtube.com/watch）と異なる箇所には、どのように異なるか（追加・変換等）を示しました（原文カッコ内）。

◎原文の中には、今日の人権感覚に照らして差別的ととられかねない表現がありますが、作者が故人であること、また作品発表時の時代背景等の事情に鑑み、定本どおりとしました。

◎「語りのポイント」の解説や「付録」について、原文より引用の旧字体、旧仮名遣い等は必要に応じて新字体、現代仮名遣いに変換しました。

ブックデザイン●020スタジオ（「付録」を除く）
イラスト●クリエーター220（p.171, 173, 203, 221）
編集●松井玉緒
編集協力●鈴木ふみ子（音声表現学苑）

1章

雪の日

ゆきのひ

雪の日

見渡すかぎり地は銀沙を敷きて、舞ふや胡蝶の羽そで軽く、枯木も春の六花の眺めを、世にある人は歌にも詠み詩にも作り、月花に並べて称ゆらん浦山しさよ、あはれ忘れがたき昔しを思へば、降りに降る雪くちをしく悲しく、悔の八千度その甲斐もなけれど、勿躰なや父祖累代墳墓の地を捨てゝ、養育の恩ふかき伯母君にも背き、我名の珠に恥かしき今日、親は瑕なかれとこそ名け給ひけめ、瓦に劣る世を経よとは思しも置かじを、そもや谷川の水おちて流がれて、清からぬ身に成り終りし、其あやまちは幼気の、迷ひは我れか、媒は過ぎし雪の日ぞかし。

我が故郷は某の山里、草ぶかき小村なり、我が薄井の家は土地に聞えし名家にて、身は其一つぶもの成りしも、不幸は父母はやく亡せて他家に嫁ぎし伯母の是れも良人を失なひたるが、立帰りて我をば生したて給ひにき、さりながら三歳といふより手しほに懸け給へば、我れを見ること真実の子の如く、蝶花の愛親といふ共これには過ぎまじく、七歳よりぞ手習ひ学問の師を撰らみて、糸竹の芸は御身づから心を尽くし給ひき。扨もたつ年に関守なく、腰揚とれて細眉つくり、幅びろの帯うれしと締めしも、今にして思へば其頃の愚かさ、都乙女の利発には比らぶべくも非らず、姿ばかりは年齢ほどに延びたれど、男女の差別なきばかり幼なくて、何ごとの憂きもなく思慮もなく明し暮らす十五の冬、我れさへ知らぬ心の色を何方の誰れか見とめけん、吹く風つたへて伯母君の耳にも入りしは、これや生れて初めての、仇名(あだな)ぐさ恋すてふ風説(うはさ)なりけり。

世は誤(あやまり)の世なるかも、無き名(な)とり川(がは)波かけ衣(ごろも)、ぬれにし袖(そで)の相手といふは、桂木(かつらぎ)一郎(いちろう)とて我が通学せし学校の師なり、東京(みやこ)の人なりとて容貌(みめ)うるはしく、心やさしければ生徒なつきて、桂木先生と誰れも褒(ほ)めしが、下宿は十町ばかり我が家(や)の北に、法正寺(ほふしやうじ)と呼ぶ寺の離室(はなれ)を仮ずみなりけり、幼なきより教へを受くれば、習慣(ならはし)うせがたく我を愛し給ふこと人に越えて、折ふしは我が家をも訪(と)ひ又下宿(げしゆく)にも伴(とも)なひて、おもしろき物がたりの中(うち)に様々(さま〴〵)教へを含(ふ)くめつ、さながら妹(いもと)の如くもてなし給へば、同胞(きようだい)なき身の我れも嬉しく、学校にての肩身も広かりしが、今はた思へば実(げ)に人目には怪(あや)しかりけん、よしや二人が心は行水(ゆくみづ)の色なくとも、結(ゆ)ふや島田髷(しまだまげ)これも小児(こども)ならぬに、師は三十に三つあまり、七歳にしてと書物の上には学びたるを、忘れ忘られて睦(むつ)みけん愚かさ。

見る目は人の咎にして、有るまじき事と思ひながらも、立ちし浮名の消ゆる時なくば、可惜白玉の瑕に成りて、其身一生の不幸のみか、あれ見よ伯母そだてにて投げやりなれば、薄井の娘が不品行さ、両親あれば彼の様にも成らじ物と、言ひたきは人の口ぞかし、思ふも涙は其方が母、臨終の枕に我れを拝がみて。姉様お願は珠が事をと。幽かに言ひし一言あはれ千万無量の思ひを籠めて、まこと闇路に迷ひぬべき事なるを、引受けし我れ其甲斐もなく、世の嗤笑に為しも了らば、第一は亡き妹に対し我が薄井の家名に対し、伯母が身は抑も何とすべき。と御声ひくゝ四壁を憚りて、口数すくなき伯母君が思し合はすることありてか、しみじみと諭し給ひき、我れ初めは一向夢の様に迷ひて何ごとゝも思ひ分かざりしが、漸々伯母君の詞するどく。よく聞けよお珠、桂木様は其方を愛で給ふならん、其方も又慕はしかるべし、されども此処に法ありて、我が薄井の家には昔しより他郷の人と縁を組まず、況てや如何に学問は長じ給ふとも、桂木様は何者の子何者の種とも知らぬを、門閥家なる我が薄井の聟とも言ひがたく嫁にも遣し（「し」→「り」）がたし、よし恋にても然かぞかし、無き名なりせば猶さらのこと、今よりは構へて往来もし給ふな、稽古もいらぬ事なり、其方大切なればこそお師匠様と追従もしたれ、益も無き他人を珍重には非らず、年来美事に育だて上げて、人にも褒められ我れも誇りし物を、口惜しき濡れ衣きせられしは彼の人ゆゑなり、今までは今までとして、以来は断然と行ひを改ため其方が名をも雪ぎ我が心をも安めくれよ、兎角に其方が仇は彼の人なれば、家を思ひ伯母を思はゞ、桂木とも思すな一郎とも思すな、彼の門すぎる共寄り給ふな。と畳みかけて仰する時我が腸は断ゆる斗りに成りて、何の涙ぞ瞼に堪へがたく、袖につゝみて音に泣きしや幾時。

口惜しかりしなり其内心の、いかに世の人とり沙汰うるさく一村挙りて我れを捨つるとも、育て給ひし伯母君の眼に我が清濁は見ゆらんものを、汚れたりとや思す恨らめしの御詞、師の君とても昨日今日の交りならねば、正しき品行は御覧じ知る筈を、誰が讒言に動かされてか打捨て給ふ情なさよ、成らば此胸かきさばきても身の潔白の顕はしたやと哭きしが、其心の底何者の潜みけん、駒の狂ひに手綱の術も知らざりしなり。

小簾のすきかげ隔てといへば一重ばかりも疾ましきを、此処十町の間に人目の関きびしく成れば、頃は木がらしの風に付けても、散りかふ紅葉のさま浦山しく、行くは何処までと遠く詠むれば、見ゆる森かげ我を招くかも、彼の村外れは師の君のと、住居のさま面かげに浮かんで、夕暮ひびく法正寺の鐘の音かなしく、さしも心は空に通へど流石に戒しめ重ければ足は其方に向けも得せず、せめては師の君訪ひ来ませと待てど、立つ名は此処にのみならで、憚りあればにや音信もなく、と絶えし中に千秋を重ねて、万代いわふ新玉の、歳たちかへって七日の日来りき、伯母君は隣村の親族がり年始の礼にと趣き給ひしが、朝より曇り勝の空いや暗らく成るまゝに、吹く風絶へたれど寒さ骨にしみて、引入るばかり物心ぼそく不図ながむる空に白き物ちらちら、扨こそ雪に成りぬるなれ、伯母様さぞや寒からんと炬燵のもとに思ひやれば、いとど降る雪用捨なく綿をなげて、時の間に隠くれけり庭も籬も、我が肘かけ窓ほそく開らけば一目に見ゆる裏の耕地の、田もかくれ（「ぬ、」追加）畑もかくれぬ、日毎に眺むる彼の森も空と同一の色に成りぬ、あゝ師の君はと是れや抑々まよひなりけり。

禍ひの神といふ者もしあらば、正しく我身さそはれしなり、此時の心何を思ひけん、善とも知らず悪しとも知らず、唯懐かしの念に迫まられて身は前後無差別に、免がれ出しなり薄井の家を。

これや名残と思はねば馴れし軒ばを見も返へらず、心いそぎて庭口を出しに、嬢様この雪ふりに何処へとて、お傘をも持たずにかと驚ろかせしは、作男の平助とて老実に愚かなる男なりし、伯母様のお迎ひにと偽れば、否や今宵はお泊りなるべし、是非お迎ひにとならば老僕が参らん、先待給へと止めらるゝ憎くさ、真実は此雪に宜くこそと賞められたく、是非に我が身行きたければ、其方は知らぬ顔にて居よかしと言ふに、取しめなく高笑ひして、お子達は扨らちも無きもの、さらば傘を持給へとて、其身の持ちしを我れに渡しつ、転ろばぬ様に行き給へと言ひけり、由縁あれば武蔵野の原こひしきならひ、此一ト言さへ思ひ出らるるを、無情りしも我が為、厳しかりしも我が為、末宜かれとて尽くし給ひしを、思ふも勿躰なきは伯母君のことなり。

斯(か)くまでに師は恋しかりしかど、夢さら此人を良人(つま)と呼びて、共に他郷の地を踏まんとは、かけても思ひ寄らざりしを、行方(ゆくかた)なしや迷ひ、窓の呉竹(くれたけ)ふる雪に心下折(こゝろしたを)れて我れも人も、罪は誠(まこと)の罪に成りぬ、我が故郷(ふるさと)を離れしも我れ（「れ」→「が」）伯母君を捨てたりしも、此雪の日の夢ぞかし。

今さらに我が夫(つま)を恨(う)らみんも果敢(はか)なし、都は花の見る目うるはしきに、深山木(みやまぎ)の我れ立ち並らぶ方(かた)なく、草木の冬と一人しりて、袖の涙に昔しを問へば、何ごとも総(すべ)て誤なりき、故郷(ふるさと)の風の便りを聞けば、伯母君は我が上を歎げき歎げきて、其歳(そのとし)の秋かなしき数(かず)に入り給ひしとか、悔こそ物の終りなれ、今は浮世に何事も絶えぬ、つれなき人に操(みさを)を守りて知られぬ節(ふし)を保(たも)たんのみ、思へば誠(まこと)と式部(しきぶ)が歌の、ふれば憂(う)さのみ増さる世を、知らじな雪の今歳(ことし)も又、我が破(や)れ垣(がき)をつくろひて、見よとや誇る我れは昔の恋しきものを。

（明治二十六年三月）

＊ふりがなは、底本をもとにし、一部を当時の読み方や著者の朗読の読み（朗読は、他の版元の本も参考にしている）に変えました。また、その朗読に従い、必要に応じて新たにふりがなを振りました。
＊著者による「雪の日」の朗読（樋口一葉『雪の日』朗読：坂井清成―ＹｏｕＴｕｂｅ）と異なる箇所には、カッコを付けて、どのように異なるか（何を変換するか等）を示しました。

雪の日

※現代語訳の（　）で囲った部分は省略されているのではないかと思われることば、［　］は語義または語釈、〔　〕は筆者の補註を表わします。

【原文】

見渡すかぎり地は銀沙(ぎんさ)を敷きて、舞ふや胡蝶(こてふ)の羽(は)そで軽く、枯木も春の六花(りくくわ)の眺めを、世にある人は歌にも詠(よ)み詩(からうた)にも作り、月花(つきはな)に並べて称(たゝ)ゆらん浦山(うらやま)しさよ、

【現代語訳】

〈第一段落〉　見渡すかぎり、地上は銀河に砂をまいたように真白で、胡蝶のようにひらひらと舞う雪は枯木に積もり、花が咲いたようで、まるで春が来たようなこの眺めを見て、人は歌にも詠み、（漢）詩にも作って、月・花に並べて讃

あはれ忘れがたき昔しを思へば、降りに降る雪くちをしく悲しく、悔(くい)の八千度(やちたび)その甲斐(かひ)もなけれど、勿躰(もったい)なや父祖累代墳墓(ふそるゐだいみはか)の地を捨てゝ、養育の恩ふかき伯母君(をばぎみ)にも背(そむ)き、我名の珠(たま)に恥(はづ)かしき今日、親は瑕(きず)なかれとこそ名(なづ)け給ひけめ、瓦(かはら)に劣る世を経よとは思(おぼ)しも置かじを、そもや谷川の水おちて流がれて、清からぬ身に成り終りし、

えているのを見ると、私はうらやましい気がする。（私はとてもそんな気になれないからだ。）

（私は）忘れられない昔を思うにつけ、降り続ける雪は口惜しく悲しく、いくら悔いても甲斐もないことだが、勿体ないことに、先祖の墓のある故郷を捨て、育てて下さった恩深い伯母様にも背いて、珠という名にも恥かしい今の身の上となってしまった。

ご両親が私に珠という名を付けて下さ

【原文】

其あやまちは幼気（おさなぎ）の、迷ひは我れか、媒（なかだち）は過ぎし雪の日ぞかし。

【現代語訳】

ったのは、一生瑕がつかないようにという思いであったからで、瓦に劣るような世を送れとは、夢にも思っていらっしゃらなかっただろうに、まるで谷川の水が落ちて流れるように清くない〔汚れた〕身の上になってしまったのは、

幼気の迷いからのあやまちで〔私が悪いのではあるが〕そのなかだちをしたのは〔私をその気にさせたのは〕あの雪の日

我が故郷は某の山里、草ぶかき小村なり、我が薄井の家は土地に聞えし名家にて、身は其一つぶもの成りしも、不幸は父母はやく亡せて他家に嫁ぎし伯母の是れも良人を失なひたるが、立帰りて我をば生したて給ひにき、さりながら三歳といふより手しほに懸け給へば、我れを見ること真実の子の如く、蝶花の愛親といふ共これには過ぎまじく、七歳よりぞ手習ひ学問の師を撰らみて、糸竹の芸は御身づから心を尽くし給ひき。

であった。

〈第二段落〉　私の故郷はある山里の小さな村。生家である薄井家は土地では知られた名家で、私はその一人娘だったが、不幸なことに父母を早く亡くし、母の姉で、嫁いだ後未亡人となっていた伯母が、実家へ戻って私を育てて下さった。三歳から育てて下さったので、本当の我が子のように大切に、いや親以上に可愛がって下さって、七つからは、手習い・学問の先生につけ、琴・三味線

（笛）などの音曲はみずから一生懸命教えて下さった。

【原文】

扨（さて）もたつ年に関守なく、腰揚（こしあげ）とれて細眉（ほそまゆ）つくり、幅（はゞ）びろの帯うれしと締（し）めしも、今にして思へば其頃の愚（おろ）かさ、都乙女（みやこおとめ）の利発（りはつ）には比（く）らぶべくも非（あ）らず、

【現代語訳】

年は（とめようもなく）早く過ぎて（少女となり）、（子供時代の着物の）腰上げを取り、顔にも細眉を引いて、幅の広い帯を締め、（一人前の女になったと）嬉しがっていたのも、今思えば愚かなことで（これは後で知ったことだが）都会の女性の頭の良さにはくらべようもなか

姿ばかりは年齢(とし)ほどに延(の)びたれど、男女(なんによ)の差別(けじめ)なきばかり幼なくて、何ごとの憂きもなく思慮(しりよ)もなく明し暮らす十五の冬、我れさへ知らぬ心の色を何方(いづこ)の誰れか見とめけん、吹く風つたへて伯母君の耳にも入りしは、これや生れて初めての、仇名(あだな)ぐさ恋すてふ風説(うはさ)なりけり。

　世は誤(あやまり)の世なるかも、無き名(な)とり川(がは)波かけ衣(ごろも)、ぬれにし袖(そで)の相手とい

ったのだ。

　姿ばかりは成長はしていても、心は男女のけじめも考えつかぬほど幼くて、全く無邪気に日を暮らしていた十五の春、自分にさえ自覚出来ない色気を誰かが知ってしまったのか、伯母様の耳に入ったのは、自分でも思いがけない恋のうわさだった。

〈第三段落〉一体この世の中はまちがっているのかしら。（昔の歌にあるよう

【原文】

ふは、桂木（かつらぎ）一郎（いちろう）とて我が通学せし学校の師なり、東京（みやこ）の人なりとて容貌（みめ）うるはしく、心やさしければ生徒なつきて、桂木先生と誰れも褒（ほ）めしが、下宿は十町ばかり我が家（や）の北に、法正寺（ほふしやうじ）と呼ぶ寺の離室（はなれ）を仮ずみなりけり、

【現代語訳】

に）名取川の波が衣をぬらすように、私の心の袖をぬらした〔心をとらえてしまった〕相手というのは、桂木一郎という私の通学していた学校の先生だった。東京の人なので顔立ちも良く心もやさしかったので、生徒はなつき「桂木先生」と皆あこがれていたが、その下宿は私の家から十町ばかり北にある法正寺というお寺の離れに仮住まいされていた。

幼なきより教へを受くれば、習慣(ならはし)うせがたく我を愛し給ふこと人に越えて、折ふしは我が家をも訪(と)ひ又下(げ)宿(しゅく)にも伴(とも)なひて、おもしろき物がたりの中(うち)に様々(さま〴〵)教へを含(ふ)くめつ、さながら妹(いもと)の如くもてなし給へば、同胞(きょうだい)なき身の我れも嬉しく、学校にての肩身も広かりしが、今はた思へば実(げ)に人目には怪(あや)しかりけん、

よしや二人が心は行水(ゆくみづ)の色なくと

幼い頃から特別に教えて貰っていたのが習慣となって（大きくなってからも）特に私を可愛がって下さり、時々は訪ねても来られ、又下宿にも連れて行かれて、面白いお話のうちにいろんなことを教えて下さって、まるで妹のように接して下さったので、兄弟のない私にとってはそれが嬉しくて、学校〔級友〕に対しても肩身が広く思っていたが、今思えば、それが他人の目には怪しく思えたのだろう。

たとえ二人の心は本当に愛し合っていな

【原文】

も、結(ゆ)ふや島田髷(しまだまげ)これも小児(こども)ならぬに、師は三十に三つあまり、七歳にしてと書物の上には学びたるを、忘れ忘られて睦(むつ)みけん愚かさ。

見る目は人の咎(とが)にして、有るまじ

【現代語訳】

くても、島田に結った私の姿はとうてい子供らしく見えず、先生の年は三十歳を三つ越えたぐらい、「七歳にして男女席を同じゅうせず」〔男女は七歳にもなればなるべく一緒にいないようにしなければならない〕と、書物では学んでいても、そんなことは二人とも忘れて仲良くなってしまった愚かさ。

〈第四段落…1〉〔この段落は、伯母の

き事と思ひながらも、立ちし浮名の消ゆる時なくば、可惜白玉（あたらしらたま）の瑕（きず）に成りて、其身一生の不幸のみか、あれ見よ伯母（をば）そだてにて投げやりなれば、薄井の娘が不品行（ふしだら）さ、両親（かたおや）あれば彼（あ）の様にも成らじ物と、言ひたきは人の口ぞかし、

諫めのことばとそれを聴いた珠の心境が描かれる。

「人の見る目は大体が悪く片寄っているものだから、そんなことは無いとは思うが、浮いた（悪い）うわさがいつまでも消えないなら、残念ながらお前の珠という名の瑕になって、お前の一生の不幸せになるだけではなく、『あれ見ろ（あの娘は）伯母に育てられて、ついほったらかしにされているものだから、あの通りだらしなくなってしまうのだ。両親が揃っていればあのようにならないで済んだ

【原文】

思ふも涙は其方(そち)が母、臨終(いまは)の枕に我れを拝がみて。姉様(ねえさま)お願は珠(たま)が事をと。幽(かす)かに言ひし一言(ひとこと)あはれ千万無量(せんばんむりやう)の思ひを籠(こ)めて、まこと闇路(やみぢ)に迷ひぬべき事なるを、

【現代語訳】

ものを』と、言いたいのは人の口だよ。〔つまりは私のせいにされてしまうのじゃないか。〕

今思いだしても涙ぐまれるのは、お前のお母さんのことだ。亡くなる間ぎわにわたしに手を合わせて『姉さま、私のお願いは珠の事でございます』と、かすかに言った一言を聞いて、精一ぱいの心を込めて、本当に子の為には闇路にまどう

引受けし我れ其甲斐もなく、世の嗤笑に為しも了らば、第一は亡き妹に対し我が薄井の家名に対し、伯母が身は抑も何とすべき。と御声ひくゝ四壁を憚りて、口数すくなき伯母君が思し合はすることありてか、しみじみと諭し給ひき、

我れ初めは一向夢の様に迷ひて何ご

切ない親心に心を動かされた。

私は（お前の養育を）引き受けたのだが、その甲斐もなく、世のもの笑いになってしまったら、第一は死んだ妹に対し、我が薄井の家名に対して私はまあどうしたらいいの」と、声を低くしてあたりをはばかりながら、ふだんは口数の少ない伯母様がよほど思いがつのられたのか、しみじみとおさとしになった。

〈第四段落…２〉私は初めぼんやり聴

【原文】

とゝも思ひ分かざりしが、

漸々伯母君の詞するどく。よく聞けよお珠、桂木様は其方を愛で給ふならん、其方も又慕はしかるべし、されども此処に法ありて、我が薄井の家には昔しより他郷の人と縁を組まず、況てや如何に学問は長じ給ふとも、桂木様は何者の子何者の種とも知らぬを、門閥家なる我が薄井の聟とも言ひがたく嫁にも遣し（「し」→「り」）がたし、よし恋にても然

【現代語訳】

いていて何のことかわからなかったが、

（その様子をご覧になった）伯母様は次第にことばを激しくなさって、「よく聞きなさいよお珠、桂木様はお前を可愛がって下さるだろう。お前もまた慕っていることだろうと思う。けれども前からの極まりというものがあって、昔から薄井の家ではよその国の人と縁を組まないことになっている。まして、どんなに学問

かぞかし、無き名なりせば猶(なほ)さらのこと、今よりは構へて往来(ゆきき)もし給ふな、稽古(けいこ)もいらぬ事なり、其方(そち)大切なればこそお師匠様と追従(つゐしょう)もしたれ、益(えき)も無き他人を珍重には非(あ)らず、年来(としごろ)美事に育(そ)だて上げて、人にも褒(ほ)められ我れも誇りし物を、口惜(くや)しき濡(ぬ)れ衣(ぎぬ)きせられしは彼(あ)の人ゆゑなり、今までは今までとして、以来(これより)は断然(ふつつり)と行ひを改ため其方(そち)が名をも雪(そゝ)ぎ我が心をも安めくれよ、兎角(とかく)に其方(そち)が仇(あだ)は彼(あ)の人なれば、家を思ひ伯母を思はゞ、桂木とも思(おぼ)すな一郎とも思すな、彼(か)の門(かど)すぎる共寄り給ふな。

がよくお出来になるとはいえ、桂木様は誰の子か何処の出身かわかりもしないのに、立派な家柄である我が薄井の婿とは言えないし、嫁にもやれない。

　たとえ本当の恋であってもそうなのに、（そうでない）あらぬうわさなら尚更の事だ。今からは絶対に往き来もしてはなりません、稽古も必要ない。お前を大切に思うからこそ、その先生である桂木様とへつらいもするが、役にも立たない人を大切にすることはない。ここまでお前を育てて来て、人にも褒められ私も

【原文】

【現代語訳】

それを自慢に思っていたのに、くやしいぬれぎぬをきせられたのはあの人のせいだ。これまでのことは仕方がないから、これからはもうきっぱりと行いを改ため、お前の名（恥）もそそぎ私を安心させておくれ、ともかくもお前をこのようにした仇はあの人なのだから、家を思い、伯母を思うなら（これからは）桂木とも、一郎とも思いなさんな。あの人の家の前を通り過ぎるようなことがあってと畳みかけて仰する時我が腸は断ゆる斗りに成りて、何の涙ぞ瞼に堪へがたく、袖につゝみて音に泣きしや幾時。

口惜しかりしなり其内心の、いかに世の人とり沙汰うるさく一村挙りて我れを捨つるとも、育て給ひし伯母君の眼に我が清濁は見ゆらんものを、汚れたりとや思す恨らめしの御詞、師の君とても昨日今日の交りな

も立ち寄ってはなりません。」

と畳みかけるようにおっしゃるのを聴いて、私の腸はちぎれるような思いになって、何かしら涙があふれ、泣き声を袖におおいかくして長い間泣いていた。

〈第五段落〉　伯母様の心の中を考えると本当に口惜しい気持ちになった。どんなに世の中の人がうるさく噂をし、村中が一せいに私を爪はじきしたとしても、私を育てて下さった伯母様の目にだけ

【原文】

らねば、正しき品行は御覧(ごらふ)じ知る筈(はず)を、誰(た)が讒言(さかしら)に動かされてか打捨て給ふ情(なさけ)なさよ、成(な)らば此胸かきさばきても身の潔白(けつぱく)の顕(あら)はしたやと哭(な)きしが、其心の底何者の潜(ひそ)みけん、駒(こま)の狂ひに手綱(たづな)の術(すべ)も知らざりしなり。

【現代語訳】

は、私が清いかそうでないかは、わかりそうなものなのに、汚れたものと決めてしまったような情けないおことば。

先生だって、昨日今日のつきあいではなし、私の正しい行いはおわかりになっているはずなのに、誰の告げ口をお信じになったのか、それを放っておきになるなんて情けない。出来るならばいっそこの胸を切り裂いても身の潔白を表わしたい、と泣いたが、まるで馬が狂ったよ小簾のすきかげ隔てといへば一重ばかりも疾ましきを、此処十町の間に人目の関きびしく成れば、頃は木がらしの風に付けても、散りかふ紅葉のさま浦山しく、行くは何処までと遠く詠むれば、見ゆる森かげ我を招くかも、彼の村外れは師の君のと、住居のさま面かげに浮かんで、夕暮ひびく法正寺の鐘の音かなしく、さしも心は空に通へど流石に戒しめ重ければ足は其方に向けも得せず、せめては師の君訪ひ来ませと待

うな心の狂いを手綱でとめようとしてもとめようがなかった。

〈第六段落〉すだれの隙から見る人影は、一重しか離れていなくても気がかりなものだが、十町（も先においでになる先生と私）の間に人の目はきびしくなって出かけることは出来なくなったので、秋になって木枯らしが吹くにつけても、散る紅葉がうらやましく、その行く先を眺めれば見える森かげが自分を招くように思われて、あの村外れには先生がいら

【原文】

てど、立つ名は此処(こゝ)にのみならで、憚(はゞか)りあればにや音信(おとづれ)もなく、と絶えし中に千秋(せんしう)を重ねて、万代(よろづよ)いわふ新(あら)玉(たま)の、歳(とし)たちかへつて七日(なぬか)の日来(きた)りき、

【現代語訳】

っしゃるのだ、とそのお住まいが目に浮かぶ。（先生のおられる）法正寺の鐘の音が聞こえるにつけ悲しく、先生のことを思い出すけれど、伯母の戒めが心に重くのしかかって足をそちらに向けられもせず、先生の方から来て下さればと待っていても、悪いうわさはここだけでなく、先生のまわりにも立っているのか、それを気になさってかお手紙も下さらず。二人の関係は途絶えたまま年を越し

伯母君は隣村の親族がり年始の礼にと趣き給ひしが、朝より曇り勝の空いや暗らく成るまゝに、吹く風絶へたれど寒さ骨にしみて、引入るばかり物心ぼそく不図ながむる空に白き物ちらちら、扨こそ雪に成りぬるなれ、伯母様さぞや寒からんと炬燵のもとに思ひやれば、いとど降る雪用捨なく綿をなげて、時の間に隠くれけり庭も籬も、我が肘かけ窓ほそく開らけば一目に見ゆる裏の耕地の、田もかくれ（「ぬ、」追加）畑もかくれぬ、日毎に眺むる彼の森も空

て、一月七日がやって来た。

〈第七段落〉　伯母様は隣村の親類のお宅に年始のごあいさつにお出かけになったが、朝から曇りがちの空が段々暗くなって、風は無くなったが、寒さは骨にしみるほど激しくなって、段々と心細くなり、ふと空を眺めると、白いものがちらちらと降って来た。「ああとうとう雪になった。伯母様はさぞ寒いことだろう」と炬燵に当たりながら心配していると、益々ひどくなった雪は、あっという間に

と同一の色に成りぬ、あゝ師の君はと是れや抑々まよひなりけり。

禍ひの神といふ者もしあらば、正しく我身さそはれしなり、此時の心何を思ひけん、善とも知らず悪しとも知らず、唯懐かしの念に迫まられて身は前後無差別に、免がれ出しなり薄井の家を。

【原文】

【現代語訳】

庭もまがき［竹や柴などで編んで作った垣］も隠してしまった。肘かけ窓を細く開いてみると、一目で見渡せる裏の耕地の田んぼも畑も雪に隠れた。毎日眺めているあの森も、空と同じ灰色になった。「あゝ先生は（どうなさっているかしら）」と思ったのが、そもそも心の迷いだった。

禍の神がもしあるなら、まさしく私は（その神に）誘われたのだ。この時の心これや名残と思はねば馴(な)れし軒(のき)ばを見も返へらず、心いそぎて庭口を出(いで)しに、嬢様この雪ふりに何処(どこ)へとて、お傘(かさ)をも持たずにかと驚ろかせしは、作男(さくをとこ)の平助(へいすけ)とて老実(まめやか)に愚かなる男なりし、伯母様のお迎ひにと偽(いつは)れば、否(い)や今宵はお泊りなるべし、是非(ぜひ)お迎ひにとならば老僕(おやぢ)が参

は一体何を思っていたのか、（そうした行動が）良いか悪いかも知らず、唯先生が懐かしい気持ちに迫られて、良い悪いの区別を判断する余裕もなく、薄井の家を抜け出したのであった。

〈第八段落〉これが見納めとは思わないものだから、懐かしい我が家の軒をふり返ることもなく急いで庭口を出たが、「嬢様、この雪降りにどこへいらっしゃる、お傘も持たないで」と（声を掛けて）驚かせたのは平助という作男［農作

【原文】

らん、先待給（まづまちたま）へと止めらるゝ憎くさ、真実（まこと）は此雪に宜（よ）くこそと賞（ほ）められたく、是非に我が身行きたければ、其方（そち）は知らぬ顔にて居よかしと言ふに、取（とり）しめなく高笑ひして、お子達は扨（さて）らちも無きもの、さらば傘を持給へとて、其身の持ちしを我れに渡しつ、転（こ）ろばぬ様に行き給へと言ひけり、由縁（ゆかり）あれば武蔵野（むさしの）の原こひしきならひ、此（この）一ト言（こと）さへ思ひ出（いづ）らるるを、無情（つれなか）りしも我が為、厳しかりしも我が為、末宜（すゑよ）かれとて尽くし給ひしを、思ふも勿躰（もったい）なきは伯母

【現代語訳】

業に雇われている男」で、よく働く馬鹿正直な男だった。「伯母様のお迎えに」と嘘を言えば、「いや今夜は向うのお家へお泊りでしょう。ぜひお迎えにとおっしゃるなら私が参ります。あなたはお止しなさい」と止められて、何とも憎らしい気持ちになったが（それは隠して）、「本当は（私が行って）この雪が降るのによく来てくれたわね、と褒められたいので、ぜひ私が行きたいのだから、お前

君のことなり。

は見て見ぬふりをしておいてよ」と言えば、大きな声で高笑いして、「子供さんというものは他愛のないものですな。ではﾞ（せめて）この傘を持って行きなされ」と自分のさしていた傘を私に渡して、「転ばぬように行きなされよ」と言った。（古今集にも）わけがあれば武蔵野の原も恋しいというが、この男の一言も（懐かしく）思いだされる筈なのに、（そんな気持ちにはとてもなれず）人に思いやりがなくなるのも自分のため、人にきびしい仕打ちをしたのも自分（中心

【原文】

斯(か)くまでに師は恋しかりしかど、夢さら此人を良人(つま)と呼びて、共に他郷の地を踏まんとは、かけても思ひ寄らざりしを、行方(ゆくかた)なしや迷ひ、窓の呉竹(くれたけ)ふる雪に心下折(こころしたを)れて我れも人も、罪は誠(まこと)の罪に成りぬ、我が

【現代語訳】

の考え方）のためだった。自分の人生の末を良いようにと〔自分の一生の幸せ〕を考えて下さっていたのに、と勿体なく思い続けているのは伯母様のことだ。

〈第九段落〉このように先生を恋しく思ってはいたけれど、夢にも、この人を夫として他郷へ行ってしまうことはまさか思ってもいなかったのに、どこへ行くか迷った末に、窓辺に生えている呉竹が

故郷(ふるさと)を離れしも我れ（「れ」↓「が」）伯母君を捨てたりしも、此雪の日の夢ぞかし。

今さらに我が夫(つま)を恨(う)らみんも果敢(はか)なし、都は花の見る目うるはしきに、深山木(みやまぎ)の我れ立ち並らぶ方(かた)なく、草木の冬と一人しりて、袖の涙に昔しを問へば、何ごとも総(すべ)て誤なりき、故郷(ふるさと)の風の便りを聞けば、伯

雪の重みで折れるように心が折れてしまって、私も先生も（一寸だけの逢引きという小さな）罪が（駆け落ちという）本当の罪となってしまった。私が故郷を離れたのも、伯母様を捨てたのもみんなこの雪の日の夢だったと思われる。

〈第十段落〉今さら私の夫（先生）を恨んでみても仕方がない。東京という処は今や花の盛りだというのに、東北から出て来て、日陰の身である私にとってはその花や人の中に立ち並ぶ〔対等につき

【原文】

母君は我が上を歎げき歎げきて、其(その)歳(とし)の秋かなしき数(かず)に入り給ひしとか、悔こそ物の終りなれ、今は浮世に何事も絶えぬ、つれなき人に操(みさを)を守りて知られぬ節(ふし)を保(たも)たんのみ、思へば誠(まこと)と式部(しきぶ)が歌の、ふれば憂(う)さのみ増さる世を、知らじな雪の今歳(ことし)も又、我が破(や)れ垣(がき)をつくろひて、見よとや誇る我れは昔の恋しきものを。

【現代語訳】

合う」仕方もなく、私一人は孤独の身だと思い知って、泣きながら（幸せだった昔の私がどうしてこんなことになったのだろうと自分に問いかけてみても）何事もみな自分のあやまちだったと思うばかりだ。耳に入って来る故郷のうわさによれば、伯母様は私のことを嘆き続けられた末に（私が家出をした）その年の秋にとうとう、お亡くなりになったとか。今更悔やんでも取り返しはつかない。今は浮き世［世間］に頼るものは何も無くなった。つれない夫につくして、いつわりの妻らしさを続けて行くだけだ。今の私が思うことは、紫式部の歌のように、日がたつにつれて憂鬱なことばかりが増えてゆく世をおくりながら、今年もまた私の心のこわれた垣をつくろっては、幸せだった昔をひそかに誇るしかないのである。

語りのポイント…「雪の日」

「雪の日」は、明治二十六年（一八九三年）、一葉二十一歳の作です。

この頃彼女は半井桃水に師事し、その指導のもとに彼のいわゆる「美文調」に傾倒しつつも、一方では常に新しい文体を模索しているように見られます。書き出しは全くの美文調で始まり、それが叙述体に転じ、そのあと唐突に会話体（伯母のことば）が現れるというような構成の乱れがそれを表わしていると言えましょう。

これを音声表現するには、このような表現の多様さに適確に適応して行かなければなりませんが、その手掛かりとしてまず分割（内容で段落に分ける）から始めて行きましょう。

【起の部】

第一段落

見渡すかぎり地は銀沙を敷きて、～

【承の部】

第二段落

我が故郷は某の山里、〜

第三段落

世は誤の世なるかも、〜

【転の部】

第四段落

見る目は人の咎にして、〜

第五段落

口惜しかりしなり其内心の、〜

第六段落

小簾のすきかげ隔てといへば一重ばかりも疾ましきを、〜

第七段落

伯母君は隣村の親族がり年始の礼にと趣き給ひしが、～

第八段落

これや名残と思はねば馴れし軒ばを見も返へらず、～

第九段落

斯くまでに師は恋しかりしかど、～

【結の部】

第十段落

今さらに我が夫を恨らみんも果敢なし、～

美文調で始まる第一段落は、この作品の前置きに当たり、［起の部］と言えます。

次に第二・第三段落は自己紹介から始めて、物語の発端の部分に至るつなぎの部分ですから、これを［承の部］とします。

次に伯母の説教によって始まる第四段落から、物語の展開を辿る第九段落までは、異論もあるでしょうが、私は［転の部］に入れたいと思います。

そして、この部分を更に起承転結に分けてみます。

起…第四段落（伯母の嘆き）
承…第五・六段落（伯母に説教を受けた口惜しさ）
転…第七・八段落（雪に誘われて家を出、師のもとへ）
結…第九段落（自分の行為を悔いる気持）

更に第十段落は、日を経てからの自分の境遇を嘆き、心境を、紫式部の歌に託して切々と述懐している［結の部］となり、これで終わるというわけです。

では愈々(いよいよ)、文の各行をいかに音声表現（以下省略して「音表」と呼ぶことにします）して行くかを一緒に考えてゆきたいと思います。

すでに、作品の理解を深めるために段落に分けるというやり方で文章を細分化してありますが（現代語訳も参照）、これからは、その部分をどう音表して行くかを考えてゆこうとするわけです。

次の頁から、まずはじめの頁（右の頁）に原文を、次の頁（左の頁）にその音表の仕方（解説）を照応させてゆきます。

段落によっては更に細分化し、通し番号（丸で囲んだ数字）を次のようにしました。

第一段落（①〜③）

第二段落（④〜⑥）

第三段落（⑦〜⑨）

第四段落（⑩〜⑮）
第五段落（⑯）
第六段落（⑰）
第七段落（⑱）
第八段落（⑲）
第九段落（⑳）
第十段落（㉑）

では、第一段落の①から順に見てゆきましょう。

雪の日

原文

※①、②などの丸で囲んだ数字は50、51頁で説明した細分化の数字を示す。

① 見渡すかぎり地は銀沙（ぎんさ）を敷きて、舞ふや胡蝶（こてふ）の羽（は）そで軽く、枯木も春の六花（りくくわ）の眺めを、世にある人は歌にも詠（よ）み詩（からうた）にも作り、月花（つきはな）に並べて称（たゝ）ゆらん浦山（うらやま）しさよ、

② あはれ忘れがたき昔しを思へば、降りに降る雪くちをしく悲しく、悔（くい）の八千度（やちたび）その甲斐（かひ）もなけれど、勿躰（もつたい）なや父祖累代墳（ふそるゐだいみ）墓（はか）の地を捨てゝ、養育の恩ふかき伯母君（をばぎみ）にも背（そむ）き、我名の珠（たま）に恥（はづ）かしき今日、親は瑕（きず）なかれとこそ名（なづ）け給ひけめ、瓦（かはら）に劣る世を経よとは思（おぼ）しも置かじを、そもや谷川の水おちて流が

〈54ページへ続く〉

解説

第一段落は全体の序章に当たりますがそれを更に、三つに分けたいと思います。

一口にいって、この作品は幼な気のあやまちで、今どん底の身になり下がった自分の半生をふり返って回想する「懺悔録」とも言えるものですから、全篇の音表は終止音程を下げた調子が基調となるのは当然ですが、かといってそれをだらだらと変化なく続けて行くことは避けなければなりません。以下その変化を追って行くと、次のようになります。

①　一面の銀世界の上に蝶のように舞い散る雪の景色を暗くならないように、中音で、ゆったりと語り出します。最後の「浦山（うらやま）しさよ」は次の②にかかる大事なことばですから、ちゃんと立てておきましょう。

②　懺悔の中心になる部分ですからゆっくりと語りましょう。

〈55ページへ続く〉

原文

れて、清からぬ身に成り終りし、

③ 其あやまちは幼気(おさなぎ)の、迷ひは我れか、媒(なかだち)は過ぎし雪の日ぞかし。

④ 我が故郷(ふるさと)は某(それがし)の山里、草ぶかき小村なり、我が薄井(うすゐ)の家は土地に聞えし名家にて、身は其一つぶもの成りしも、不幸は父母(ちゝはゝ)はやく亡(う)せて他家(ほか)に嫁(とつ)ぎし伯母の是れも良人(つま)を失なひたるが、立帰りて我をば生(おほ)したて給ひにき、さりながら三歳といふより手しほに懸(か)け給へば、我れを見ること真実(まこと)の子の如く、蝶花(てふはな)の愛親(あいおや)といふ共これには過ぎまじく、七歳(なゝつ)よりぞ手(て)習(なら)ひ学問の師を撰(え)らみて、糸竹(いとたけ)の芸は御身(おんみ)づから心を尽くし

〈56ページへ続く〉

解説

③　これが第一段落のしめくくりとなります。大事なキーワードは「我れ」と「雪の日」です。「我れ」は強く、「雪」は高くやわらかく立てましょう。

④　ここからは生い立ちから事件の発端となった十五歳までをざっと回想していますが、音表者はただだらだらと語ることなく、大事な部分、例えば、時を表わしたことば、④における「三歳といふより」や「七歳より」、⑥の「十五の冬」などは、しっかりとした区切りをつけることが大切です。
　もちろん⑤や⑥の前には十分に「間」をとって少し高めに転調して始める必要があることは言うまでもありません。

〈57ページへ続く〉

原文

給ひき。

⑤ 扨もたつ年に関守なく、腰揚とれて細眉つくり、幅びろの帯うれしと締めしも、今にして思へば其頃の愚かさ、都乙女の利発には比らぶべくも非らず、

⑥ 姿ばかりは年齢ほどに延びたれど、男女の差別なきばかり幼なくて、何ごとの憂きもなく思慮もなく明し暮らす十五の冬、我れさへ知らぬ心の色を何方の誰れか見とめけん、吹く風つたへて伯母君の耳にも入りしは、これや生れて初めての、仇名ぐさ恋すてふ風説なりけり。

〈58ページへ続く〉

解説

⑤　「腰揚とれて細眉つくり」は短いながら対句となっているのですから、それを活かすように傍線の名詞を高く立ててリズミカルに。

⑥　「〜十五の冬」や「〜仇名ぐさ」のように名詞で終わっている文は「体言（名詞）止め」と言って、その表現を強調する場合に用います。しっかりと語尾を消さないように読み切りましょう。

　次の第三段落（⑦〜⑨）では、自分と桂木先生とのなれそめが語られますが、その懐かしさ、喜びの上に、現在の気持ちから悔いる気持ちのベールが覆われていることを忘れてはなりません。

〈59ページへ続く〉

原文

⑦

世は誤の世なるかも、無き名とり川波かけ衣、ぬれにし袖の相手といふは、桂木一郎とて我が通学せし学校の師なり、東京の人なりとて容貌うるはしく、心やさしければ生徒なつきて、桂木先生と誰れも褒めしが、下宿は十町ばかり我が家の北に、法正寺と呼ぶ寺の離室を仮ずみなりけり、

⑧

幼なきより教へを受くれば、習慣うせがたく我を愛し給ふこと人に越えて、折ふしは我が家をも訪ひ又下宿にも伴なひて、おもしろき物がたりの中に様々教へを含くめつ、さながら妹の如くもてなし給へば、同胞なき身の我れも嬉しく、学校にての肩身も広かりしが、今はた思へば実に人目には怪し

〈60ページへ続く〉

解説

⑦　「世は誤の世なるかも」といきなり世を恨むことばから始まりますが、この一言に彼女の思いが込められていると思われますので、ここは切り離して嘆きを込めて語るべきでしょう。続いての「無き名とり川～」からは古い和歌（古今・新古今）からとったかけことばを取り入れた美文調の飾られた表現ですから、音表も、やゝ歌うようなメリハリ調がふさわしく思われます。〔「メリハリ調（メリハリ読み）」については、「一語読み」と比較して247頁からの「付録」の中で説明します〕。

⑧　このいきさつの部分はていねいにゆっくりと。「今はた思へば」からは転調が必要です。

〈61ページへ続く〉

原文

かりけん、

⑨　よしや二人が心は行水(ゆくみづ)の色なくとも、結(ゆ)ふや島田髷(しまだまげ)これも小(こ)児(ども)ならぬに、師は三十に三つあまり、七歳にしてと書物の上には学びたるを、忘れ忘られて睦(むつ)みけん愚かさ。

⑩　見る目は人の咎(とが)にして、有るまじき事と思ひながらも、立ちし浮名の消ゆる時なくば、可惜白玉(あたらしらたま)の瑕(きず)に成りて、其身一生の不幸のみか、あれ見よ伯母(をば)そだてにて投げやりなれば、薄井の娘が不品行(ふしだら)さ、両親(ふたおや)あれば彼(あ)の様にも成らじ物と、言ひたきは人の口ぞかし、

〈62ページへ続く〉

解説

⑨　始まりは⑧を受けていますが、その終わりの「忘れ忘られて～」は⑦の「世は誤の世なるかも」に照応して強い自責の念から出たことばですから、特に「愚かさ」は、弱くならずに強く音表すべきでしょう。

⑩　ここから第四段落（伯母の嘆きとさとし）に入ります。この段落はいきなり伯母のさとしのことばから始まります。
　この声のトーンは、後ろ（⑫）にあるように「御声（おこゑ）ひくゝ四壁（あたり）を憚（はゞか）りて」（62頁）であり、またこの伯母の性格は「口数すくなき」（⑫）とあるように、日頃はおとなしいどちらかと言えば内気な人が、よくよく腹にすえかねた感じで、愛しい姪に向かって話し始めたことを踏まえたものであるべきでしょう。
　ここは前置きですから特に静かに低く入りましょう。

〈63ページへ続く〉

原文

⑪ 思ふも涙は其方(そち)が母、臨終(いまは)の枕に我れを拝がみて。姉様(ねえさま)お願は珠(たま)が事をと。幽(かす)かに言ひし一言(ひとこと)あはれ千万無量(せんばんむりやう)の思ひを籠(こ)めて、まこと闇路(やみぢ)に迷ひぬべき事なるを、

⑫ 引受けし我れ其甲斐(そのかひ)もなく、世の嗤笑(ものわらひ)に為(な)しも了(をは)らば、第一は亡き妹(いもと)に対し我が薄井の家名に対し、伯母が身は抑(そ)も何とすべき。と御声(おこゑ)ひくゝ四壁(あたり)を憚(はゞか)りて、口数すくなき伯母君が思(おぼ)し合はすることありてか、しみじみと諭(さと)し給ひき、

⑬ 我れ初めは一向(ひたすら)夢の様に迷ひて何ごとゝも思ひ分(わ)かざりしが、

〈64ページへ続く〉

解説

⑪　ここから回想に移りますが、伯母の妹（珠の母）との会話の場はしみじみと。ただ妹のことばはくれぐれも「せりふ」にならぬように気をつけて下さい。話している伯母さんは俳優ではないからです。

⑫　反対に⑫は伯母自身のことばですから、その心情を切々と身をふるわせるような気持ちで伝えて下さい。
引き続き、ここも伯母のさとしと嘆きのことばが主になりますが、その中に⑬と66頁の⑮は珠の反応、乃至は心の動きを表わした部分ですから、その間の区切りをはっきりと読み分けなければなりません。

⑬　特にここは、うぶな珠のぼんやりとしたようすを十分に表わす必要があります。

〈65ページへ続く〉

原文

⑭

漸々伯母君の詞するどく。よく聞けよお珠、桂木様は其方を愛で給ふならん、其方も又慕はしかるべし、されども此処に法ありて、我が薄井の家には昔しより他郷の人と縁を組まず、況てや如何に学問は長じ給ふとも、桂木様は何者の子何者の種とも知らぬを、門閥家なる我が薄井の聟とも言ひがたく嫁にも遣し（「し」→「り」）がたし、よし恋にても然かぞかし、無き名なりせば猶さらのこと、今よりは構へて往来もし給ふな、稽古もいらぬ事なり、其方大切なればこそお師匠様と追従もしたれ、益も無き他人を珍重には非らず、年来美事に育だて上げて、人にも褒められ我れも誇りし物を、口惜しき濡れ衣きせられしは彼の人ゆゑなり、今までは今までと

〈66ページへ続く〉

解説

⑭

これは、上の空で他人事のように聞いている珠のようすに業を煮やした伯母のことばですから、まず叙述部（地の文）の「詞するどく」をしっかりと高めて、次にそのことばの「よく聞けよお珠」を始めとして次に「縁を組まず」の「組まず」や、「言ひがたく」「遣し（り）がたし」の否定語や「構へて」などの強調語は特に強く音表して、伯母のいらだちの心境をしっかりと伝えて下さい。

前とちがうところは、怒った後の「愚痴」と「願い」になっていることです。こういう心の動きを語り手は敏感に捉えて、それにふさわしい音表に変化させてゆくことが必要でしょう。そして最後の「家を思ひ伯母を思はゞ〜」（66頁）以下は伯母の切なる願いを込めた激しさが含まれなければなりません。

この「桂木とも思すな一郎とも思すな」という畳みかけ方は切迫した巧みな表現で、これを活かすには音表にも歯切れよいテンポが必要です。

〈67ページへ続く〉

原文

して、以来(これより)は断然(ふつつり)と行ひを改ため其方(そち)が名をも雪(そゝ)ぎ我が心をも安めくれよ、兎角(とかく)に其方(そち)が仇(あだ)は彼(あ)の人なれば、家を思ひ伯母を思はゞ、桂木とも思(おぼ)すな一郎とも思すな、彼(か)の門(かど)すぎる共寄り給ふな。

⑮ と畳(たゝ)みかけて仰(おほ)する時我が腸(はらわた)は断ゆる斗(ばか)りに成りて、何の涙ぞ瞼(まぶた)に堪(こら)へがたく、袖につゝみて音(ね)に泣きしや幾時(いくとき)。

⑯ 口惜(くや)しかりしなり其内心の、いかに世の人とり沙汰(ざた)うるさく一村挙(こぞ)りて我れを捨つるとも、育て給ひし伯母君の眼に我が清濁(せいだく)は見ゆらんものを、汚れたりとや思(おぼ)す恨らめしの御(お)

〈68ページへ続く〉

解説

⑮　ここでは追いつめられた珠の悲痛な泣き声がもれるように、細く高くしぼるような音表が望ましいでしょう。

⑯　ここから第五段落に入ります。この段落はすべて珠の嘆きのことばで埋め尽くされています。いや「嘆き」というより「悲憤」といった方が適切かもしれません。ここは彼女の、ただなよなよと悲しみ悩む姿ではなく、激しい憤りをもった気性の強さをも表わしたものと言えましょう。従って音表に当たっても、そこを見逃すことなく、情緒的な調子に流れないように注意して下さい。特に「成らば此胸かきさばきても～」（68頁）のくだりは強さが必要です。

ちなみにこの詞は、彼女を引き立ててくれた恩人の文豪幸田露伴の名作「五重塔」の中で、大工の十兵衛が誠の心を証明するために塔から身を投げようとする心意気を表わした「投ぐる五尺の皮嚢（心臓）は潰れて醜かるべきも、きたなきものを盛っては居らず」から得たものと思われます。

〈69ページへ続く〉

原文

詞、師の君とても昨日今日の交りならねば、正しき品行は御覧じ知る筈を、誰が讒言に動かされてか打捨て給ふ情なさよ、成らば此胸かきさばきても身の潔白の顕はしたやと哭きしが、其心の底何者の潜みけん、駒の狂ひに手綱の術も知らざりしなり。

⑰

小簾のすきかげ隔てといへば一重ばかりも疾ましきを、此処十町の間に人目の関きびしく成れば、頃は木がらしの風に付けても、散りかふ紅葉のさま浦山しく、行くは何処まで と遠く詠むれば、見ゆる森かげ我を招くかも、彼の村外れは師の君のと、住居のさま面かげに浮かんで、夕暮ひびく法

〈70ページへ続く〉

解説

⑰

ここから第六段落に入ります。この段落の前半は、いわゆる美文調で、音数律（五七調・七五調のように五音・七音の組合せによるリズム）を駆使したリズミカルな文体で始まっていますので、音表もそれにふさわしいメリハリ調を基調としたものになります。メリハリ調（メリハリ読み）については235頁以降にくわしく解説しておきましたが、「一語読み」とは逆の形をとったもので、例えば、

「小簾のすきかげ隔てといへば一重ばかりも疾ましきを」では、

［オスノスキカゲ・ヘダテトイエバ、ヒトエバカリモ　ヤマシキオ］と低・高・低・高の形のリズムを奏でることになります。

尚、「と絶えし中に千秋を重ねて〜」（70頁）からは美文調とはいえ、その内容は時の経過を表わした説明的なものなので、音表も、それにふさわしくしっかりと終わりたいものです。

〈71ページへ続く〉

原文

正寺の鐘の音かなしく、さしも心は空に通へど流石に戒しめ重ければ足は其方に向けも得せず、せめては師の君訪ひ来ませと待てど、立つ名は此処にのみならで、憚りあればにや音信もなく、と絶えし中に千秋を重ねて、万代いわふ新玉の、歳たちかへつて七日の日来りき、

⑱

伯母君は隣村の親族がり年始の礼にと趣き給ひしが、朝より曇り勝の空いや暗らく成るまゝに、吹く風絶へたれど寒さ骨にしみて、引入るばかり物心ぼそく不図ながむる空に白き物ちらちら、扨こそ雪に成りぬるなれ、伯母様さぞや寒からんと炬燵のもとに思ひやれば、いとど降る雪用捨なく綿を

〈72ページへ続く〉

解説

⑱

　⑱は第七段落です。

　ここは、珠の家出のいきさつがくわしく語られていますが、語り手はその心の動きを我がものとして、主観的に音表してゆくことになります。

　つまり、まず、炬燵に当たりながら窓の外を眺めて雪の降って来たことを知る。伯母様のことを心配しながら立って窓を開け、ますます激しくなる雪を眺めるうちに、森のかなたの先生のことを思い出し、矢もたてもたまらなくなって家を飛びだして行く。

　という、珠の心の高まりをそのまま、次第にテンポを上げて息ぜわしく音表してゆくことになるというわけです。

〈73ページへ続く〉

なげて、時の間に隠くれけり庭も籬も、我が肘かけ窓ほそく開らけば一目に見ゆる裏の耕地の、田もかくれ（「ぬ、」追加）畑もかくれぬ、日毎に眺むる彼の森も空と同一の色に成りぬ、あゝ師の君はと是れや抑々まよひなりけり。

禍ひの神といふ者もしあらば、正しく我身さそはれしなり、此時の心何を思ひけん、善とも知らず悪しとも知らず、唯懐かしの念に迫まられて身は前後無差別に、免がれ出しなり薄井の家を。

⑲

これや名残と思はねば馴れし軒ばを見も返へらず、心いそぎて庭口を出しに、嬢様この雪ふりに何処へとて、お傘をも

〈74ページへ続く〉

解説

⑲

第八段落に入ります。

この段落の大部分は、家を出ようとした珠が作男の平助に見とがめられての会話に終止していますが、ここに、一葉の会話術（これが後に「わかれ道」「たけくらべ」「にごりえ」において見事に昇華する「せりふ」としてのやりとり）のうまさがすでに芽を出していると見るべきで、語り手はそのイキを十分に心得て音表すべきでしょう。

後ろの「由縁（ゆかり）あれば〜」（74頁）からは「今にして思えば」という気持ちに切り替えて、伯母に対する深い悔恨の気持ちに移ってゆきますが、その辺のところも心情的に音表することを忘れてはなりません。

〈77ページへ続く〉

原文

持たずにかと驚ろかせしは、作男(さくをとこ)の平助(へいすけ)とて老実(まめやか)に愚かなる男なりし、伯母様のお迎ひにと偽(いつは)れば、否(い)や今宵はお泊りなるべし、是非(ぜひ)お迎ひにとならば老僕(おやぢ)が参らん、先待給(まづまちたま)へと止めらるゝ憎くさ、真実(まこと)は此雪に宜(よ)くこそと賞(ほ)められたく、是非に我が身行きたければ、其方(そち)は知らぬ顔にて居よかしと言ふに、取(とり)しめなく高笑ひして、お子達は扨(さて)らちも無きもの、さらば傘を持給へとて、其身の持ちしを我れに渡しつ、転(こ)ろばぬ様に行き給へと言ひけり、由縁(ゆかり)あれば武蔵野(むさしの)の原こひしきならひ、此(この)一ト言(こと)さへ思ひ出(いづ)らるるを、無情(つれなか)りしも我が為、厳しかりしも我が為、末宜(すゑよ)かれとて尽くし給ひしを、思ふも勿躰(もつたい)なきは伯母君のことなり。

〈76ページへ続く〉

●コラム●

一葉「雪の日」誕生秘話

一葉の日記によれば、「雪の日」は師（桃水）との決別の朝、それも午前四時頃に師の家を出て、「白がいがいたる雪中、りんりんたる寒気ををかして帰る」途中に発想された。この日一葉はある決意をもって正午頃師の仕事場を訪れ、昼すぎまで寝ている桃水の起きるのを、辛抱強く待っていたのだ。

やがて一時を過ぎる頃、やっと起き出してきた桃水は、正月の残り（その日は二月三日）の餅を焼いて汁粉をごちそうしてくれた。一葉が持参の近作の原稿を見せると大いに気に入り、これを早速氏の出していた雑誌『武蔵野』に載せようなどと言ってついつい話し込むうちとうとう夜中になってしまった。いつもと変わらぬ師弟の睦み合いのようだが、実は一葉の心の中はもはや師の下を離れて新しい文学の道を志していたとみられる。彼女は泊って行けという誘いを振り切り雪の降りしきる中を一人帰って行く。その時、「雪の日といふ小説一篇あまばやとの腹稿なる」とは何という作家魂であろう。

原文 ⑳

斯くまでに師は恋しかりしかど、夢さら此人を良人と呼びて、共に他郷の地を踏まんとは、かけても思ひ寄らざりしを、行方なしや迷ひ、窓の呉竹ふる雪に心下折れて我れも人も、罪は誠の罪に成りぬ、我が故郷を離れしも我れ（「れ」→「が」）伯母君を捨てたりしも、此雪の日の夢ぞかし。

〈78ページへ続く〉

解説

⑳

この第九段落は、ここまでの、第四・第五・第六・第七・第八段落の「転」の展開を経て「結」の第十段落へとつながる、その手前のいわばつなぎの部分ですから、珠の自省の気持ちを込めて静かに語り始めましょう。

後半の「窓の呉竹ふる雪に～」からはまた調子の良い美文調が入りますが、［マドノクレタケ・フルユキニ］と前半は一語読み、後半はメリハリ読みとなっている部分もあり、［ワガフルサトオ　ハナレシモ、ワレ（ガ）オバギミオステタリシモ］とメリハリだけの部分もあり、いろいろと調子が変わって行くのを見逃さないで、それぞれの部分にふさわしい調子を添わせてゆく繊細な音表もまた必要だと思われます。

〈79ページへ続く〉

原文 ㉑

今さらに我が夫を恨らみんも果敢なし、都は花の見る目うるはしきに、深山木の我れ立ち並らぶ方なく、草木の冬と一人しりて、袖の涙に昔しを問へば、何ごとも総て誤なりき、故郷の風の便りを聞けば、伯母君は我が上を歎げき歎げきて、其歳の秋かなしき数に入り給ひしとか、悔こそ物の終りなれ、今は浮世に何事も絶えぬ、つれなき人に操を守りて知られぬ節を保たんのみ、思へば誠と式部が歌の、ふれば憂さのみ増さる世を、知らじな雪の今歳も又、我が破れ垣をつくろひて、見よとや誇る我れは昔の恋しきものを。

解説

㉑

最後の第十段落です。ここは、この懺悔録（後悔ばなし）の「結」となる部分で、後半は再び冒頭の美文調に戻り、終わりには紫式部の歌まで用いて珠の心のかげりを表わそうとした一葉のきびしい創作姿勢を思わせます。

この結びは賛否こもごもあるところでしょう。否とするところの多くは、折角それまでの切々と珠の心情を描きながら、最後を美文調でキレイごとにしてしまったというものですが（私もそれに半分同感ですが）、この作品が、半井桃水の教えからまだ抜け切れずにいる時機に書かれたことを思うと、それも無理もないと思われるのです。

この文体から脱却して、大いなる飛躍をとげた「わかれ道」を次にご紹介しますが、そこでの変わりようの一々を、81頁から皆さんとともに見てゆくことにしましょう。

●コラム●

子供の芸「角兵衛獅子」

作品「わかれ道」に出てくる「角兵衛獅子」。これは、正確には越後獅子のことである。越後の国、今の新潟県の神社の里神楽だったものが、諸国を巡業するようになり、街道演芸・門付け芸に発展していったようだ。角兵衛というのは頭に冠る獅子頭を彫った細工師の名ともいわれ、これを冠った幼い子供が、大人の鳴らす笛や太鼓に合わせて、とんぼ（蜻蛉）返りなどの軽業をしてみせるのを常とした。

子供は大体が貧しい育ちか、赤ん坊のうちから売られ売られて育った者が多く、江戸時代あたりから存在した。現代でも知られるようになったのは、大佛次郎の時代小説「角兵衛獅子 少年の為の鞍馬天狗」からで、これは忽ち映画化され、鞍馬天狗の嵐寛寿郎と、このおじさんに助けられた角兵衛獅子の杉作少年（松島トモ子）のコンビは大人気となった。後に杉作少年を演じた美空ひばりによる主題歌「越後獅子の唄」はあまりにも有名である。

2章

わかれ道

わかれみち

わかれ道

上

お京さん居ますかと窓の戸の外に来て、こと〳〵と羽目を敲く音のするに、誰れだえ、もう寐て仕舞つたから明日来てお呉れと嘘を言へば、寐たつて宜いやね、起きて明けてお呉んなさい、傘屋の吉だよ、己れだよと少し高く言へば、嫌な子だね此様な遅くに何を言ひに来たか、又お餅のおねだりか、と笑つて、今あけるよ少時辛棒おしと言ひながら、仕立かけの縫物に針どめして立つは年頃二十余りの意気な女、多い髪の毛を忙しい折からとて結び髪にして、少し長めな八丈の前だれ、お召の台なしな半天を着て、急ぎ足に沓脱へ下りて格子戸に添ひし雨戸を明くれば、お気の毒さまと言ひながらずつと這入るは一寸法師と仇名のある町内の暴れ者、傘屋の吉とて持て余しの小僧なり、年は十六なれども不図見る処は一か二か、肩幅せばく顔小さく、目鼻だちはきり〳〵と利口らしけれど何にも脊の低ければ人嘲りて仇名はつけゝる。御免なさい、と火鉢の傍へづか〳〵と行けば、御餅を焼くには火が足らないよ、台処の火消壺から消し炭を持つて来てお前が勝手に焼いてお喰べ、私は今夜中に此れ一枚を上げねば成らぬ、角の質屋の旦那どのが御年始着だからとて針を取れば、吉はふゝんと言つて彼の兀頭には惜しい物だ、御初穂を我れでも着て遣らうかと言へば、馬鹿をお言ひで無い人のお初穂を着ると出世が出来ないと言ふでは無いか、今つから延びる事が出来なくては仕方が無い、其様な事を他処の家でもしては不用よと気を付けるに、己れなんぞ御出世は願はないのだから他人の物だらうが何だらうが着かぶつて遣るだけが徳さ、お前さん何時か左様言つたね、運が向く時に成ると己れに糸織の着物をこしらへて呉れるつて、本当に調へて呉れるかえと真面目だつて言へば、夫れは調らへて上げられるやうならお目出度のだもの喜んで調らへるがね、私が姿を見てお呉れ、此様な容躰で人さまの仕事をして居る境界では無からうか、まあ夢のやうな約束さとて笑つて居れば、いいやな夫れは、出来ない時に調らへて呉れとは言は無い、お前さんに運の向いた時の事さ、まあ其様な約束でもして喜ばして置いてお呉れ、此様な野郎が糸織ぞろへを冠つた処がをかしくも無いけれどもと淋しさうな笑顔をすれば、そんなら吉ちやんお前が出世の時は私にもしてお呉れか、其約束も極めて置きたいねと微笑んで言へば、其つはいけない、己れは何うしても出世なんぞは為ないのだから。何故何故。何故でもしない、誰れが来て無理やりに手を取つて引上げても己れは此処に斯うして居るのが好いのだ、傘屋の油引きが一番好いのだ、何うで盲目縞の筒袖に三尺を脊負つて産て来たのだらうから、渋を買ひに行く時かすりでも取つて吹矢の一本も当りを取るのが好い運さ、お前さんなぞは以前が立派な人だと言ふから今に上等の運が馬車に乗つて迎ひに来やすのさ、だけれどもお妾に成ると言ふ謎では無いぜ、悪く取つて怒つてお呉んなさるな、と火なぶりをしながら身の上を歎くに、左様さ馬車の代りに火の車でも来るであらう、随分胸の燃える事が有るからね、とお京は尺を杖に振返りて吉三が顔を守りぬ。

　例の如く台処から炭を持出して、お前は喰ひなさらないかと聞けば、いゝゑ、とお京の頭をふるに、では己ればかり御馳走さまに成らうかな、本当に自家(うち)の吝嗇(けちん)ぼうめ八釜(やかま)しい小言(こごと)ばかり言やがつて、人を使ふ法をも知りやがらない、死んだお老婆(ばあ)さんは彼(あ)んなのでは無かつたけれど、今度の奴等と来たら一人として話せるのは無い、お京さんお前は自家(うち)の半次さんを好きか、随分厭味(いやみ)に出来あがつて、いゝ気(き)の骨頂(こつてう)の奴では無いか、己(お)れは親方の息子だけれど彼奴(あいつ)ばかりは何(ど)うしても主人とは思はれない番(ばん)ごと喧嘩(けんくわ)をして遣(や)り込めてやるのだが随分おもしろいよと話しながら、鉄網(かなあみ)の上へ餅をのせて、おゝ熱々(あつ〳〵)と指先を吹いてかゝりぬ。

己(お)れは何(ど)うもお前さん（「ん」→「ま」）の事が他人のやうに思はれぬは何(ど)ういふ物であらう、お京さん（「ん」→「ま」）お前は弟(おとゝ)といふを持つた事は無いのかと問はれて、私は一人娘(ひとりご)で同胞(けうだい)なしだから弟にも妹(いもと)にも持つた事は一度も無いと言ふ、左様(さう)かなあ、夫(そ)れでは矢張何(やつぱりなん)でも無いのだらう、何処(どこ)からか斯(か)うお前のやうな人が己(お)れの真身(しんみ)の姉(あね)さんだとか言つて出て来たら何(ど)

んなに嬉しいか、首つ玉へ噛り付いて己れは夫れ限り往生しても喜ぶのだが、本当に己れは木の股からでも出て来たのか、遂ひしか親類らしい者に逢つた事も無い、夫れだから幾度も幾度も考へては己れは最う一生誰れにも逢ふ事が出来ない位なら今のうち死んで仕舞つた方が気楽だと考へるがね、夫れでも欲があるから可笑しい、ひよつくり変てこな夢何かを見てね、平常優しい事の一言も言つて呉れる人が母親や親父や姉さんや兄さんの様に思はれて、もう少し生て居（「やうかしらもう一年も生きて居」追加）たら誰れか本当の事を話して呉れるかと楽しんでね、面白くも無い油引きをやつて居るが己れみたやうな変な物が世間にも有るだらうかねえ、お京さん母親も親父も空つきり当が無いのだよ、親なしで産れて来る子があらうか、己れは何うしても不思議でならない、と焼あがりし（「し」→「たる」）餅を両手でたたきつゝ（「つゝ」省略）例も言ふなる心細さを繰返せば、夫れでもお前笹づる錦の守り袋といふ様な証拠は無いのかえ、何か手懸りは有りさうな物だねとお京の言ふを消して、何其様な気の利いた物は有りさうにもしない生れると直さま橋の袂の貸赤子に出されたのだなどゝ朋輩の奴等が悪口をいふが、もしか（「も」追加）すると左様かも知れない、夫れなら己れは乞食の子だ、母親も親父も乞食かも知れない、表を通る襤褸を下げた奴が矢張己れが親類まきで毎朝きまつて貰ひに来る跣跋片眼の彼の婆あ何かゞ己れの為の何に当るか知れはしない、話さないでもお前は大底しつて居るだらうけれど今の傘屋に奉公する前は矢張己れは角兵衛の獅子を冠つて歩いたのだからと打しをれて、お京さん己れが本当に乞食の子ならお前は今までのやうに可愛がつては呉れないだらうか、振向いて見ては呉れまいねと言ふに、串談をお言ひでないお前が何のやうな人の子で何んな身か夫れは知らないが、何だからとつて嫌やがるも嫌やがらないも言ふ事は無い、お前は平常の気に似合ぬ情ない事をお言ひだけれど、私が少しもお前の身なら非人でも乞食でも構ひはない、親が無からうが兄弟が何うだらうが身一つ出世をしたらば宜からう、何故其様な意気地なしをお言ひだと励ませば、己れは何うしても駄目だよ、何にも為やうとも思はない、と下を向いて顔をば見せざりき。

中

今は亡せたる傘屋の先代に太つ腹のお（「お」省略）松と（「と」→「つ」）て一代に身上をあげたる、女相撲のやうな老婆さま有りき、六年前の冬の事寺参りの帰りに角兵衛の子供を拾ふて来て、いゝよ親方から八釜しく言つて来たら其時の事、可愛想に足が痛くて歩かれないと言ふと朋輩の意地悪が置ざりに捨てゝ行つたと言ふ、其様な処へ帰るものか少とも怕かない事は無いから私が家に居なさい、皆も心配する事は無い何の此子位のもの二人や三人、(「、」→「や」)台所へ板を並べてお飯を喰べさせるに文句が入る物か、判証文を取つた奴でも欠落をするもあれば持逃げの吝な奴もある、了簡次第の物だわな、いはゞ馬には(「は」→「も」)乗つて見ろさ、役に立つか立たないか置いて見なけりや知れはせん、お前新網へ帰るが嫌やなら此家を死場と極めて勉強をしなけりや(「勉強をしなけりや」→「骨を折らなきや」)成らないよ、しつかり遣つてお呉れと言ひ含められて、吉や〳〵と夫れよりの丹精今油ひきに、大人三人前を一手に引うけて鼻唄交り遣つて退ける腕を見るもの、流石に眼鏡と亡き老婆をほめける。

恩ある人は二年目に亡せて今の主も内儀様も息子の半次も気に喰はぬ者のみなれど、此処を死場と定めたるなれば厭やとて更に何方に行くべき、身は疳癪に筋骨つまつてか人よりは一寸法師一寸法師と誹らるゝも口惜しきに、吉や手前(てめへ)は親の日に腥(なまぐ)さを喰(やつ)たであらう、ざまを見ろ廻りの廻りの小仏と朋輩(ほうばい)の鼻垂れに仕事の上の仇(あだ)を返されて、鉄拳(かなこぶし)に張(はり)たほす勇気はあれど（「も」追加）誠(まこと)に父母いかなる日に失(う)せて何時(いつ)を精進日(しようじんび)とも心得なき身の、心細き事を思ふては干場(ほしば)の傘(かさ)のかげに隠れて大地(だいち)を枕に仰向(あふむ)き臥(ふ)してはこぼるゝ涙を呑込(のみこ)みぬる悲しさ、四季押(しきおし)とほし油(あぶら)びかりする目(め)くら縞(じま)の筒袖(つゝそで)を振つて火の玉の様(やう)な子だと町内に怕(こわ)がられる乱暴も慰むる人なき胸(むな)ぐるしさの余り、仮(かり)にも優(やさ)しう言ふて呉れる人のあれば、しがみ附いて取(とり)ついて離れがたなき思ひなり。仕事屋のお京は（「は」→「、」）今年の春より此裏へと越して来(き)し物なれど物事に気才(きさい)の利きて長屋中(ながやぢう)への交際(つきあい)もよく、大屋(おほや)なれば傘屋(かさや)の者へは殊更に愛想(あいそう)を見せ、小僧さん達着る物のほころびでも切れたなら私の家へ持つてお出、お家は御多人数(ごたにんず)お内儀(かみ)さんの針もつていらつしやる暇(ひま)はあるまじ、私は常住(じようぢう)仕事(しごと)畳紙(たゝう)と首(くび)つ引(ぴき)の身なれば本の一針造作は無い、一人住居の相手なしに毎日毎夜さびしくつて暮して居るなれば手すきの時には遊びにも来て下され、私は此様ながらがらした気なれば吉ちゃんの様な暴れ様が大好き、疳癪がおこつた時には表の米屋が白犬を擲ると思ふて私の家の洗ひかへしを光沢出しの小槌に、砧うちでも遣りに来て下され、夫れならばお前さんも人に憎くまれず私の方でも大助かり、本に両為で御座んすほどにと戯言まじり何時となく心安く、お京さんお京さんとて入浸るを職人ども（「ども」→「など」）翻弄ては帯屋の大将のあちらこちら、桂川の幕が出る時はお半の背中に長右衛門と唱はせて彼の帯の上へちょこなんと乗つて出るか、此奴は好いお茶番だと笑はれるに、男なら真似てみろ、仕事やの家へ行つて茶棚の奥の菓子鉢の中に、今日は何が何箇あるまで知つて居るのは恐らく己れの外には有るまい、質屋の禿頭めお京さんに首つたけで、仕事を頼むの何が何うしたのと（「のと」→「とか」）小五月蠅這入込んでは前だれの半襟の帯つかはのと附届をして御機嫌を取つては居るけれど、遂ひしか喜んだ挨拶をした事が無い、ましてや夜るでも夜中でも傘屋の吉が来たとさへ言へば寝間着のまヽで格子戸を明けて、今日は一日遊びに来なかつたね、何うかお為か、案じて居たにと手を取つて引入れられる者が他に有らうか、お気の毒様なこつたが独活の大木は役にたヽない、山椒は小粒で珍重されると高い事をいふに、此野郎めと脊を酷く打たれて、有がたう御座いますと済まして行く顔つき背さへあれば人串戯とて恕すまじけれど、一寸法師の生意気と爪はぢきして好い嬲りものに烟草休みの話しの種成き。

下

十二月三十日の夜、吉は坂上の得意場へ誂への日限の後れしを詫びに行きて、帰りは懐手の急ぎ足、草履下駄の先にかゝる物は面白づくに蹴かへして、ころ〳〵と転げると（「と」→「を」）右に左に追ひかけては大溝の中へ蹴落して一人から〳〵と（「と」→「の」）高笑ひ、聞く者なくて天上のお月さまさも皓々と照し給ふを寒いと言ふ事知らぬ身なれば只こゝちよく爽にて、帰りは例の窓を敲いてと目算ながら横町を曲れば、いきなり後より追ひすがる人の、両手に目を隠くして忍び笑ひをするに、誰れだ誰れだと指を撫でゝ、何だお京さんか、小指のまむしが物を言ふ、恐嚇しても駄目だよと顔を振のけるに、憎くらしい当てられた（「た」→「て」）仕舞つたと笑ひ出す。お京はお高祖頭巾目深に風通の羽織着て例に似合ぬ宜き粧なるを、吉三は見あげ見おろして、お前何処へ行きなすつたの、今日明日は忙がしくてお飯を喰べる間もあるまいと言ふたでは無いか、何処へお客様にあるいて居たのと不審を立てられて、取越しの御年始さと素知らぬ顔をすれば、嘘をいつてるぜ三十日(みそか)の年始を受ける家は無いやな、親類へでも行きなすつたかと問へば、とんでも無い親類へ行くやうな身に成つたのさ、私は明日(あす)あの裏の移転(ひつこし)をするよ、余りだしぬけだから嘸(さぞ)お前おどろくだらうね、私も少し不意なのでまだ本当とも思はれない、兎(と)も角(かく)喜んでお呉れ悪るい事では無いからと言ふに、本当か、本当か、と吉は呆(あき)れて、嘘では無いか串戯(じようだん)では無いか、其様(そん)な事を言つておどかして呉れなくても宜(い)い、己(お)れはお前が居なくなつたら少しも面白い事は無くなつて仕舞ふのだから其様(そん)な厭(い)やな戯言(じようだん)は廃(よ)しにしてお呉れ、ゑゝ詰(つま)らない事を言ふ人だと頭(かしら)をふるに、嘘では無いよ何時(いつ)かお前が言つた通り上等の運が馬車に乗つて迎ひに来たといふ騒ぎだから彼処(あすこ)の裏には居られない、吉ちやん其(その)うちに糸織(いとをり)ぞろひを調(こしら)へて上(あげ)るよと言へば、厭(い)やだ、己(お)れは其様(そん)な物は貰ひたく無い、お前その好(い)い運といふは詰らぬ処(ところ)へ行かうといふのでは無いか、一昨日自家の半次さんが左様いつて居たに、仕事やのお京さんは八百屋横町に按摩をして居る伯父さんが口入れで何処のかお邸へ御奉公に出るのださうだ、何お小間使ひと言ふ年ではなし、奥さまのお側やお縫物しの訳は無い、三つ輪に結つて総の下つた被布を着るお妾さまに相違は無い、何うして彼の顔で仕事やが通せる物かと此様な事をいつて居た、己れは其様な事は無いと思ふから、間違ひだらうと言つて、大喧嘩を遣つたのだが、お前もしや其処へ行くのでは無いか、其お邸へ行くのであらう、と問はれて、何も私だとて行きたい事は無いけれど行かなければ成らないのさ、吉ちやんお前にも最う逢はれなくなるねえ、とて唯いふ言ながら萎れて聞ゆれば、何んな出世に成るのか知らぬが其処へ行くのは廃したが宜らう、何もお前女口一つ針仕事で通せない事もなからう、彼れほど利く手を持つて居ながら何故つまらない其様な事を始めたのか、余り情ないでは無いかと吉は我身の潔白(けつぱく)に比(くら)べて、お廃(よ)しよ、お廃しよ、断(ことは)つてお仕舞なと言へば、困つたねとお京は立止まつて、夫(そ)れでも吉ちゃん私(わたし)は洗ひ張に倦(あ)きが来て、最(も)うお妾でも何でも宜(い)い、何(ど)うで此様(こん)な詰らないづくめだから、寧(いつ)その腐(くさ)れ縮緬(ちりめん)着物(ぎもの)で世を過ぐ（「ぐ」→「ご」）さうと思ふのさ。

思ひ切つた事を我れ知らず言つてほゝと笑ひしが、兎も角も家(うち)へ行かうよ、吉ちゃん少しお急ぎと言はれて、何だか己(お)れは根(ね)つから面白いとも思はれない、お前まあ先へお出よと後(あと)に附いて、地上に長き影法師(かげぼうし)を心細げに踏んで行く、いつしか傘屋の路次を入つてお京が例の窓下に立てば、此処(こゝ)をば毎夜音づれて呉れたのなれど、明日(あした)の晩は最(も)うお前の声も聞かれない、世の中つて厭(い)やな物だねと歎息するに、夫(そ)れはお前の心がらだとて不満らしう吉三の言ひぬ。

お京は家(うち)に入るより洋燈(ランプ)に火を点(うつ)して、火鉢を掻(か)きおこし、吉ちゃんやお焙りよと声をかけるに己れは厭やだと言つて柱際に立つて居るを、夫れでもお前寒からうでは無いか風を引くといけないと気を附ければ、引いても宜いやね、構はずに置いてお呉れと下を向いて居るに、お前は何うかおしか、何だか可笑しな様子だね私の言ふ事が何か疳にでも障つたの、夫れなら其やうに言つて呉れたが宜い、黙つて其様な顔をして居られると気に成つて仕方が無いと言へば、気になんぞ懸けなくても能いよ、己れも傘屋の吉三だ女のお世話には成らないと言つて、寄かゝりし柱に脊を擦りながら、あゝ詰らない面白くない、己れは本当に何と言ふのだらう、いろ〳〵の人が鳥渡好い顔を見せて直様つまらない事に成つて仕舞ふのだ、傘屋の先のお老婆さんも能い人で有つたし、紺屋のお絹さんといふ縮れつ毛の人も可愛がつて呉れたのだけれど、お老婆さんは中風で死ぬし、お絹さんはお嫁に行くを厭やがつて裏の井戸へ飛込んで仕舞つた、お前は不人情で己れを捨てゝ行し、最う何も彼もつまらない、何だ傘屋の油ひきなんぞ、百人前の仕事をしたからとつて褒美の一つも出やうでは無し朝から晩まで一寸法師の言れつゞけで、夫れだからと言つて一生立つても此背が延びやうかい、待てば甘露といふけれど己れなんぞは一日一日厭やな事ばかり降つて来やがる、一昨日半次の奴と大喧嘩をやつて、お京さんばかりは人の妾に出るやうな腸の腐つたのでは無いと威張つたに、五日とたゝずに兜をぬがなければ成らないのであらう、そんな嘘つ吐きの、ごまかしの、欲の深いお前さんを姉さん同様に思つて居たが口惜しい、最うお京さんお前には逢はないよ、何うしてもお前には逢はないよ、長々御世話さま此処からお礼を申ます、人をつけ、最う誰れの事も当てにする物か、左様なら、と言つて立あがり沓ぬき（「き」→「ぎ」）の草履下駄に引かくるを、あれ吉ちゃん夫れはお前勘違ひだ、何も私が此処を離れるとてお前を見捨てる事はしない、私は本当に兄弟とばかり思ふのだもの其様な愛想づかしは酷からう、と後から羽がひじめに抱き止めて、気の早い子だねとお京の諭せば、そんなならお妾に行くを廃めにしなさるかと振かへられて、誰れも願ふて行く処では無いけれど、私は何うしても斯うと決心して居るのだから夫れは折角だけれど聞かれないよと言ふに、吉は涕の目に見つめて、お京さん後生だから此肩の手を放してお呉んなさい。

（明治二十九年一月）

＊ふりがなは、底本をもとにし、一部を当時の読み方や著者の朗読の読み（朗読は、他の版元の本〈樋口一葉『大つごもり・十三夜 他五篇』岩波書店、一九七九年〉等も参考にしている）に変えました。また、その朗読に従い、必要に応じて新たにふりがなを振りました。

＊著者による「わかれ道」の朗読（樋口一葉『わかれ道』朗読：坂井清成―ＹｏｕＴｕｂｅ）と異なる箇所には、カッコを付けて、どのように異なるか（追加や何に変換するか等）を示しました。

●コラム●

一葉作品に登場「着物」

女性だけに一葉の作品には、いろいろと着物の描写が登場する。「わかれ道」のお京の着物だが、〔上〕の中に「少し長めな八丈の前だれ、お召の台なしな半天を着て」とある。「八丈」は伊豆の八丈島で産する八丈縞の意味で、「お召」というのは「お召縮緬（ちりめん）」の略。上等な絹織物で、お京の育ちの良さを表わすが、恐らく昔は羽織だったものを着古して、今ははんてんのようにして着ているという、お京のくらしの貧しさ、つつましさを表わしているとも言える。それが〔下〕でお妾になろうという苦渋の決断をするときのニヒルなことば「寧（いっ）その腐れ縮緬着物」という逆手をとった表現として用いられる。

吉のことばの中の着物の描写では「盲目縞の筒袖に三尺を背負って」とあるが「盲目縞の筒袖」とは職人のユニフォームとも言われるもので、筒袖のついた紺無地の綿織物の着物のこと。それに三尺帯（長さ約１１４㎝）を締めるのだが、自分が背が低いのでわざと「背負った」と表現されている。

わかれ道

※現代語訳の（　）で囲った部分は省略されているのではないかと思われることば、［　］は語義または語釈、〔　〕は筆者の補註を表わします。

【原文】

上

お京さん居ますかと窓の戸の外に来て、ことくと羽目(はめ)を敲(たた)く音のするに、

【現代語訳】

上

「お京さん、いますか」と窓の外に来て、ことことと羽目板を叩く音のするのに

誰だえ、もう寐て仕舞つたから明日来てお呉れと嘘を言へば、
寐たつて宜いやね、起きて明けてお呉んなさい、傘屋の吉だよ、己れだよと少し高く言へば、
嫌な子だね此様な遅くに何を言ひに来たか、又お餅のおねだりか、と笑つて、今あけるよ少時辛棒おしと言ひながら、仕立かけの縫物に針どめして立つは年頃二十余りの意気な女、多い髪の毛を忙しい折からとて

「誰だい、もう寝てしまったから明日来ておくれ」と嘘を言えば、

「寝たっていいじゃないか、起きて開けておくれ。傘屋の吉だよ、俺だよ」と少し高く言えば、

「嫌な子だね、こんな遅くに何を言いに来たか、又お餅が欲しいのかい」と笑って、「今開けるよ、しばらく辛抱しなさい」と言いながら、仕立てかけの縫物に針止めをして立ち上がったのは、年頃二

【原文】

結び髪にして、少し長めな八丈の前だれ、お召の台なしな半天を着て、急ぎ足に沓脱へ下りて格子戸に添ひし雨戸を明くれば、

お気の毒さまと言ひながらずつと這

【現代語訳】

十余りの粋な女。多い髪の毛を忙しい時に合わせて〔働きやすいように無造作に〕ぐるぐる巻きにして、少し長めな八丈織の前垂れを掛け、お召しちりめんを作り直したはんてんを着た（かいがいしい姿で）、急ぎ足に（玄関へまわり）くつ脱ぎへ下りて、格子に添った雨戸を開ければ、

「お気の毒さま」と言いながら、さっと

入るは一寸法師と仇名のある町内の暴れ者、傘屋の吉とて持て余しの小僧なり、年は十六なれども不図見る処は一か二か、肩幅せばく顔小さく、目鼻だちはきり〱と利口らしけれど何にも脊の低くければ人嘲りて仇名はつけゝる。御免なさい、と火鉢の傍へづか〱と行けば、

入って来たのは、一寸法師と仇名のある町内の暴れ者、傘屋の吉という（町内で）手に負えない小僧である。年齢は十六なのだが、ちょっと見れば十一か二にしか見えない。肩幅せまく、顔は小さく、目鼻立ちはきりきりと利口らしいが、何といっても背が低いものだから、人はそれを嘲って仇名を付けて呼ぶのである。

「御免なさい」と火鉢の傍へずかずかと歩いて行くので、

【原文】

御餅を焼くには火が足らないよ、台処の火消壺から消し炭を持つて来てお前が勝手に焼いてお喰べ、私は今夜中に此れ一枚を上げねば成らぬ、角の質屋の旦那どのが御年始着だからとて針を取れば、

吉はふゝんと言つて彼の兀頭には惜しい物だ、御初穂を我れでも着て

【現代語訳】

（お京は）「お餅を焼くには火が足りないよ。台所の火消し壺から消し炭を持って来て、お前が勝手に焼いてお食べ。私は今夜中にこの一枚をやってしまわねばならない。角の質屋の旦那さんが年始に御着になるものだから」と言って針を取れば、

吉は「ふふん」と言って、「あのはげ頭には惜しい物だ。仕立ておろしを俺でも

遣(や)らうかと言へば、

馬鹿をお言ひで無い人のお初穂を着ると出世が出来ないと言ふでは無いか、今つから延びる事が出来なくては仕方が無い、其様(そん)な事を他処(よそ)の家(いえ)でもしては不用(いけない)よと気を付けるに、

着てやろうか」と、憎まれ口を利くと、

（お京は）「馬鹿なことを言ってはいけない。人の着物の仕立ておろしを着るると出世が出来ないというじゃないか。今から〔そんな小さいうちから〕（お前の背丈のように）のびる［出世をする］ことが出来なくては〔出来ることをさまたげるようなことをしたのでは〕しようがない。そんなことをよその家でもしてはいけないよ」と注意をするのに、

【原文】

己(お)れなんぞ御出世は願はないのだから他人(ひと)の物だらうが着かぶつて遣(や)るだけが徳さ、お前さん何(い)時(つ)か左様(さう)言つたね、運が向く時に成(な)ると己(お)れに糸織(いとをり)の着物をこしらへて呉れるつて、本当に調(こしら)へて呉れるかえと真面目(まじめ)だつて言へば、

夫(そ)れは調(こし)らへて上げられるやうなら

【現代語訳】

（吉は）「俺なんか出世する気はないのだから、他人の物だって何だって着てしまってやるのが自分の得になるのさ。お前さん、何時かそう言ったね。（お前さんの）運が向いて来る時になったら俺に糸織の（上等の）着物をこしらえてくれるって。本当にこしらえてくれるかい」とまじめになって言えば、

（お京は）「それはこしらえてあげられれ

お目出度(めでたい)のだもの喜んで調(こし)らへるがね、私(わたし)が姿を見てお呉れ、此様(こん)な容(よう)躰(だい)で人さまの仕事をして居る境界(きようがい)では無からうか、まあ夢のやうな約束さとて笑つて居れば、

いいやな夫(そ)れは、出来ない時に調(こし)らへて呉れとは言は無い、お前さんに運の向いた時の事さ、まあ其様(そん)な約束でもして喜ばして置いてお呉れ、此様(こん)な野郎が糸織(いとをり)ぞろへを冠(かぶ)つた処がをかしくも無いけれどもと淋しさ

るようなら、（私にとって）おめでたいのだもの、喜んでこしらえるがね。私の姿を見ておくれ、こんなありさまで人さまの仕事をしている身の上［境遇］ではないか。まあ夢のような約束さ」と、笑っているので、

（吉は）「いいよ、それは、出来ない時にこしらえてくれとは言わない。お前さんに運の向いた時のことさ。まあそんな約束でもして喜ばせておいてくれ。こんな（俺のような）男が（上等の）糸織

【原文】

うな笑顔をすれば、

そんなら吉ちゃんお前が出世の時は私にもしてお呉れか、其約束も極めて置きたいねと微笑んで言へば、

其つはいけない、己れは何うしても

【現代語訳】

ぞろえを着たところが似合いもしないだろうけれど」と淋しそうな笑顔をするので、

（お京は）「そんなら吉ちゃん、お前が出世をした時には私にもしておくれか。その約束も決めておきたいね」とほほえんで言えば、

（吉は）「そいつはいけない。俺はどう

出世なんぞは為ないのだから。

何故何故。

何故でもしない、誰が来て無理やりに手を取つて引上げても己れは此処に斯うして居るのが好いのだ、傘屋の油引きが一番好いのだ、何うで盲目縞の筒袖に三尺を脊負つて産て来たのだらうから、渋を買ひに行く時かすりでも取つて吹矢の一本も当りを取るのが好い運さ、お前さんなぞは以前が立派な人だと言ふから今に上等の運が馬車に乗つて迎ひに来

しても出世なんかはしないのだから」

（お京）「なぜなぜ」

（吉）「なぜでもしない、誰が来て無理やり手を取って引き上げても、俺はここにこうしているのが良いのだ。傘屋の油引きが一番良いのだ。どうせめくら縞の筒袖に三尺帯を背負って出て来たのだろうから、〔背が低いので帯を巻くのではなく背負って産まれて来たと自嘲して言ったもの。めくら縞の筒袖は職人の着物

【原文】

やすのさ、だけれどもお妾に成ると言ふ謎では無いぜ、悪く取つて怒つてお呉んなさるな、と火なぶりをしながら身の上を歎くに、

【現代語訳】

で、生まれついての職人なのだ、とこれも自分のことを自嘲している」（傘に塗る、防水用の）柿渋を買いに行く時、釣銭の一部をごまかして、その金で吹き矢の店へ入って（うまく的に当て）、賞金をもらうのがせめてもの幸運というものさ。お前さんなんかは、元は立派な家柄の人だというから、今に上等の運が馬車に乗ってやって来るのさ。けれどもお妾になると言っているのではないぜ。悪く

左様さ馬車の代りに火の車でも来るであらう、随分胸の燃える事が有るからね、とお京は尺を杖に振返りて吉三が顔を守りぬ。

例の如く台処から炭を持出し

とって怒らないでおくれよ」と、手を火であぶりながら、自分の身の上を嘆くので、

「そうさ、馬車の代りに火の車〔貧乏の象徴〕でも来るだろうよ。ずい分、心の燃えている事があるからね」とお京は物指しを畳に杖のように立てて、吉三の顔をじっと見た。〔胸の悩みをそれとなく打ち明けるのだった。〕

（吉は）いつものように台所から消し炭

【原文】

て、お前は喰ひなさらないかと聞けば、

い丶ゑ、とお京の頭(つむり)をふるに、

では己(お)ればかり御馳走さまに成(な)らうかな、本当に自家(うち)の吝嗇(けちん)ぼうめ八釜(やかま)しい小言(こごと)ばかり言やがつて、人を使ふ法をも知りやがらない、死んだお老婆(ばあ)さんは彼(あ)んなのでは無かつたけ

【現代語訳】

を持ち出して来て、「お前はお食べにならないかい」と聞くと、

「いいえ」とお京が頭をふるので（吉は）、

「では俺だけごちそうさまになろうかな。本当に家のけちん坊め、やかましい小言ばかり言いやがって、人を使う仕方も知りやあがらない。死んだお婆さんは

れど、今度の奴等と来たら一人として話せるのは無い、お京さんお前は自家（うち）の半次さんを好きか、随分厭味（いやみ）に出来あがつて、いゝ気の骨頂（こつてう）の奴では無いか、己（お）れは親方の息子だけれど彼奴（あいつ）ばかりは何（ど）うしても主人とは思はれない番（ばん）ごと喧嘩（けんくわ）をして遣（や）り込めてやるのだが随分おもしろいよと話しながら、鉄網（かなあみ）の上へ餅をのせて、おゝ熱々（あつ〱）と指先を吹いてかゝりぬ。

あんなのではなかったけれど、今俺を使っている主人〔お婆さんの息子〕やその家族ときたら一人として話のわかる奴はいない。お京さん、お前は家の半次さんを好きか、〔好きではあるまい〕ずいぶんいやみに出来上がった好きほうだいのわがまま者ではないか。おれは（あいつは）親方の息子だけれど、あいつばかりはどうしても主人とは思われない。折あるごとに喧嘩をしてやり込めてやるのだが、ずい分面白いよ」と話しながら、金網の上へ餅をのせて（その拍子に指が金

【原文】

己(お)れは何(ど)うもお前さん（「ん」↓「ま」）の事が他人のやうに思はれぬは何(ど)うい ふ物であらう、お京さん（「ん」↓「ま」）お前は弟(おとゝ)といふを持つた事は無いのかと問はれて、私は一人娘(ひとりご)で同胞(けうだい)なしだから弟にも妹(いもと)にも持つた事は一度も無いと言ふ、

【現代語訳】

網にふれたか）「おお、熱々」と指先をしきりに吹いている。

（吉はしばらくして）「俺はどうもお前さんの事が他人のように思われないのはどういうわけなのだろう。お京さん、お前には弟はいないのか」と聞かれて、

（お京は）「私は一人子できょうだいのない身の上だから、弟も妹も持ったこと

左様かなあ、夫れでは矢張何でも無いのだらう、何処からか斯うお前のやうな人が己れの真身の姉さんだとか言つて出て来たら何んなに嬉しいか、首つ玉へ噛り付いて己れは夫れ限り往生しても喜ぶのだが、本当に己れは木の股からでも出て来たのか、遂ひしか親類らしい者に逢つた事も無い、夫れだから幾度も幾度も考へては己れは最う一生誰れにも逢ふ事が出来ない位なら今のうち死んで仕舞つた方が気楽だと考へるがね、夫れでも欲があるから可笑し

は一度もない」と言う。

（吉は）「そうかなあ、じゃあやっぱり何でもないのだろう。どこからかお前のような人が俺の本当の姉さんだと言って出て来たらどんなに嬉しいだろう、俺は（その人の）首っ玉へ噛りついてそれきり死んでしまっても喜ぶのだが、本当に俺は木の股から出て来たのか、全く親類らしい人に逢ったこともない。それで幾度も幾度も考えては、俺はもう一生誰にも逢うことが出来ないぐらいなら、今の

【原文】

い、ひよつくり変てこな夢何(ゆめなん)かを見てね、平常(ふだん)優しい事の一言(ひとこと)も言つて呉れる人が母親(おふくろ)や親父(おやぢ)や姉(あね)さんや兄(あに)さんの様に思はれて、もう少し生(いき)て居(「やうかしらもう一年も生きて居」追加)たら誰れか本当の事を話して呉れるかと楽しんでね、面白くも無い油引(あぶらひ)きをやつて居るが己(お)れみたやうな変な物が世間にも有るだらうかねえ、お京(けう)さん母親(おふくろ)も親父(おやぢ)も空(から)つきり当(あて)が無いのだよ、親なしで産れて来る子があらうか、己(お)れは何(ど)うしても不思議でならない、と焼あが

【現代語訳】

うち死んでしまった方がいっそ気が楽だと考えるがね。それでも欲があるからおかしい。ひょっこり変な夢なんかを見てね〔妙な空想をしてね〕、〔お前のように〕ふだん〔俺に〕優しい事の一言も言ってくれる〔優しいことばをかけてくれる〕人がおふくろやおやじや姉さんや兄さんのように思われて、もう少し生きていようかしら、もう一年も生きていたら、誰か本当のこと〔俺の身内だという

りし（「し」→「たる」）餅を両手でたたきつゝ（「つゝ」省略）例（いつ）も言ふなる心細さを繰返（くりかへ）せば、
夫（そ）れでもお前笹（さゝ）づる錦（にしき）の守り袋といふ様な証拠（しようこ）は無いのかえ、何か手懸（てがゝ）

こと」を話してくれるかと楽しみにしてね、面白くもない油引きをやっているが、俺のような変な者が世間にあるだろうかねえ。お京さん、おふくろもおやじもまるっきり心当たりがないのだよ。親なしで生まれて来る子があるだろうか、俺はどう考えても不思議でしょうがない」と焼きあがった餅を両手で叩きながら、いつも言っているぐちを繰り返すと、

「それでもお前、笹鶴錦の守り袋［お殿様の子供だということを証明する錦で作

【原文】

りは有りさうな物だねとお京の言ふを消して、

何其様な気の利いた物は有りさうにもしない生れると直さま橋の袂の貸赤子に出されたのだなどゝ朋輩の奴等が悪口をいふが、もしか（「も」追加）すると左様かも知れない、夫れなら己れは乞食の子だ、母親も

【現代語訳】

った守り袋」を持っているというような証拠はないの、何か手がかりはありそうなものだね」とお京が（わざと冗談のように）言うのを（まじめに）打ち消して、

「何そんな気の利いたものがありそうにも思われない。生まれるとすぐに橋のたもとにいる乞食の（哀れを誘うために使う）貸赤子に売られたのだと一緒に働いている仲間の奴らが悪口を言うが、もし

親父(おやぢ)も乞食かも知れない、表(おもて)を通る襤褸(ぼろ)を下げた奴が矢張己(お)れが親類まきで毎朝きまつて貰ひに来る跣跋片眼(びっこめっかち)の彼(あ)の婆(ばゝ)あ何かゞ己(お)れの為の何(なに)に当るか知れはしない、話さないでもお前は大底(たいてい)しつて居るだらうけれど今の傘屋に奉公する前は矢張(やつぱり)己(お)れは角兵衛の獅子(しゝ)を冠(かぶ)つて歩いたのだからと打しをれて、お京さん己れが本当に乞食の子ならお前は今までのやうに可愛がつては呉れないだらうか、振向いて見ては呉れまいねと言ふに、

かするとそうかも知れない。それなら俺は乞食の子だ。おふくろもおやじも乞食かもしれない、表を通るぼろぼろの着物を着た奴がやっぱり俺の身内の一人で、毎朝きまって物乞いにくる、びっこで片眼のあの婆あなんかが、俺の何に当たるか知れはしない。話さないでもお前は大てい知っているだろうけれど、今の傘屋に奉公する前はやっぱり俺は、角兵衛獅子［80頁のコラム参照］をやっていたのだから」としょんぼりとして「お京さん、俺が本当に乞食の子なら、お前は今

【原文】

串談（じょうだん）をお言ひでないお前が何（ど）のやうな人の子で何（ど）んな身か夫（そ）れは知らないが、何だからとつて嫌やがるも嫌やがらないも言ふ事は無い、お前は平常（ふだん）の気に似合ぬ情（なさけ）ない事をお言ひだけれど、私が少しもお前の身なら非人（ひにん）でも乞食（こじき）でも構ひはない、親が無からうが兄弟が何（ど）うだらうが身

までのように可愛いがってはくれないだろうか、振り向いて見てはくれないだろうね」と言うのに、

【現代語訳】

（お京は）「冗談を言ってはいけない。お前がどのような人の子でどんな身の上か、それは知らないが、どんな身分だからといって（私が）嫌がるも嫌がらないも言うことはない「そんなことはどうでも良い事だ」お前はふだんの気に似合わ

一つ出世をしたらば宜(よ)からう、何故其様(そん)な意気地なしをお言ひだと励ませば、

己(お)れは何(ど)うしても駄目だよ、何(なん)にも為(し)やうとも思はない、と下を向いて顔をば見せざりき。

ぬ情けない事を言うけれど、私がお前の身になったら、世間に見くびられる非人でも少しも構いはしない「どうでもいい」。親がなかろうが、きょうだいがどうだろうが、自分一人が出世をしたら良いじゃないか。なぜそんな意気地のないことを言うの」と励ませば、

（吉は）「俺はどうしても駄目だよ。何にもしようとも思わない」と下を向いて顔を上げないでいた。

【原文】

中

今は亡せたる傘屋の先代に太つ腹のお（「お」省略）松と（「と」↓「つ」）て一代に身上をあげたる、女相撲のやうな老婆さま有りき、六年前の冬の事寺参りの帰りに角兵衛の子供を拾ふて来て、いゝよ親方から八釜しく言つて来たら其時の事、可愛想に足が痛くて歩かれないと言ふと朋輩の意地悪が置ざりに捨て丶行つたと言ふ、其様な処へ帰るに当るものか少とも怕かない事は無

【現代語訳】

中

〔この部分は主として作者の叙述体となっている。〕

今は亡くなった傘屋の先代〔今の前の主人〕に「太っ腹の〔細かいことにこだわらず、気の大きい〕お松」といって一代で財産をこしらえた、まるで女相撲とりのような（大きな体をした）お婆さんがいた。六年前の冬のこと、寺参りの帰

いから私が家に居なさい、皆(みんな)も心配する事は無い何の此子位(このこぐらい)のもの二人や三人、(「、」→「や」)台所へ板を並べてお飯(まんま)を喰べさせるに文句が入(い)る物か、判証文(はんしょうもん)を取つた奴でも欠(かけ)落(おち)をするもあれば持逃げの吝(けち)な奴もある、了簡次第(りょうけんしだい)の物だわな、いはゞ馬には(「は」→「も」)乗つて見ろさ、役に立つか立たないか置いて見なけりや知れはせん、お前新網(しんあみ)へ帰るが嫌やなら此家(こゝ)を死場(しにば)と極(き)めて勉強をしなけりや(「勉強をしなけりや」→「骨を折らなきや」)成らないよ、しつかり遣(や)つてお呉れと言ひ含められて、吉(きち)や〳〵と夫(そ)れよりの丹精今油ひきに、大人三人前を一手

りに角兵衛獅子の子供を連れて帰ってきて(息子夫婦や奉公人たちに向かい)、「(心配しなくても)いいよ。(角兵衛獅子の)親方からやかましく言ってきたらその時のこと。可哀そうに、『足が痛くて歩かれない』と言うと、仲間の意地悪い子供が置き去りに捨てていったという。〔傍の子供に向かって〕そんな処へ帰ることはない、ちっともこわいことはないから私の家にいなさい。皆も心配することはない。何のこの子ぐらいのもの二人や三人、台所へ飯台を並べてごはん

【原文】

に引うけて鼻唄交(はなうたまじ)り遣(や)って退(の)ける腕を見るもの、流石(さすが)に眼鏡と亡(な)き老婆(ひと)をほめける。

【現代語訳】

を食べさせるのに誰にも文句は言わせない。年季奉公の証文を取った奴でも、逃げてしまう奴もあれば（金などを）持ち逃げする奴もいる、（それは）当人の心ひとつによることだよ。馬には乗ってみろ「親しくなってみなければわからない」さ。役に立つか立たないか使ってみなければわかりはしない。〔子供に〕お前、（お前が住んでいる）新網へ帰るのが嫌ならここを死に場と決めて仕事を覚

恩ある人は二年目に亡（う）せて今の主（あるじ）

えなければならないよ、しっかりやっておくれ」と言い含められて、「吉や吉や」とそれから（このお婆さんに）しっかりと教え込まれて、今は傘に油を塗る仕事をするのに、大人三人分を一人で引き受けて鼻歌まじりにやってのける姿を見る者は、さすがに（お婆さんは）目が高かった〔この子供の将来を見抜いていた〕と、亡くなったお松婆さんを褒めたものだ。

恩のある人は二年目に亡くなってしま

【原文】

も内儀様も息子の半次も気に喰はぬ者のみなれど、此処を死場と定めたるなれば厭やとて更に何方に行くべき、身は疳癪に筋骨つまつてか人よりは一寸法師一寸法師と誹らるゝも口惜しきに、吉や手前は親の日に腥さを喰たであらう、ざまを見ろ廻りの廻りの小仏と朋輩の鼻垂れに仕事の上の仇を返されて、鉄拳に張たほす勇気はあれど（「も」追加）誠に父母いかなる日に失せて何時を精進日とも心得なき身の、心細き事を思ふては干場の傘のかげに隠れ

【現代語訳】

って、（吉にとっては）今の主人〔お松の息子〕もおかみさんも、その息子の半次も、気に食わぬ者ばかりだが、ここを死に場と決めてしまったからには嫌だからといって一体どこへ行けば良いのだろう。身体のかっこうは、いつも腹ばかり立てているので骨が縮まってしまったのか、人〔主として仲間〕から「一寸法師」「一寸法師」とはやされるのもくやしいのに、（その上）「吉よ、お前は親の

て大地を枕に仰向き臥してはこぼるゝ涙を呑込みぬる悲しさ、四季押とほし油びかりする目くら縞の筒袖を振つて火の玉の様な子だと町内に怕がられる乱暴も慰むる人なき胸ぐるしさの余り、仮にも優しう言ふて呉れる人のあれば、しがみ附いて取ついて離れがたなき思ひなり。

命日（を知らず）になまぐさ［肉や魚］を食ったのだろう。（だからそんな身体になったのだ）ざまを見ろ。まわりのまわりの小仏やあい［わらべ唄を引き合いにからかったもの、内容は219頁のコラムで詳述］と（仕事の出来ない）鼻垂れ小僧に、仕事には勝てない恨みの仕返しをされて、げんこつで殴り倒す勇気はあっても、実際（考えてみれば）両親がいつ亡くなって何日が精進日［肉や魚を食べてはいけない日］なのかわからない自分であることを考えると心細くなって、

【原文】

【現代語訳】

油を塗った後の傘を干してある干し場の傘のかげに（ひとりこっそり）隠れて身体を横たえ、仰向いては（天を見つめて）こぼれる涙を呑み込んでいる悲しみは（哀れな姿で）、年中（仕事着を兼ねている）油光りするめくら縞（の作業着）の筒袖を振り上げて、「火の玉のような子だ」と町内の人たちにこわがられるのも、慰める人のいない苦しみの余りからで、もしも優しく言ってくれる人が仕事屋のお京は（「は」→「、」）今年の春より此裏へと越して来(き)し物なれど物事に気才(きさい)の利きて長屋中(ながやぢう)への交際(つきあい)もよく、大屋(おほや)なれば傘屋(かさや)の者へは殊更に愛想(あいそう)を見せ、小僧さん達着る物のほころびでも切れたなら私の家へ持つてお出、お家は御多人数(ごたにんず)お内儀(かみ)さんの針もつていらつしやる暇(ひま)はあるまじ、

現われれば（その相手に）しがみついて取りついて離れたくない思いなのだ。

仕立て屋のお京は、今年の春からこの（長屋）裏へ引っ越して来た者だが、物事に機転が利いて、長屋の人たちとも付き合いが良く、大家に当たる傘屋の者へは殊更に愛想を見せて、「小僧さんたち、着物がほころびたら私の家へ持っておいで、お宅は人数も多いことだから、（いつもお忙しくしていらっしゃって）おかみさんに針をお持ちになる（裁縫を

【原文】

私は常住仕事畳紙と首つ引の身なれば本の一針造作は無い、一人住居の相手なしに毎日毎夜さびしくって暮して居るなれば手すきの時には遊びにも来て下され、私は此様ながらがらした気なれば吉ちゃんの様な暴れ様が大好き、疳癪がおこつた時には表の米屋が白犬を擲ると思ふて私の家の洗ひかへしを光沢出しの小槌に、砧うちでも遣りに来て下さ

なさる」ひまはあるまい。

【現代語訳】

私はいつも仕事をしてはたとう［畳んだ着物を入れる和紙の袋・畳紙］にしまい、また別のたとうから着物を出して仕事をする、と目まぐるしい生活をしているのだから、その間にほんの一針［つくろいものをしてあげる］くらいは何でもないことだ。［特に吉に向かって］私は一人ずまいに話し相手もなく、毎日毎晩

れ、夫(そ)れならばお前さんも人に憎くまれず私の方でも大助かり、本(ほん)に両為(りやうだめ)で御座んすほどにと戯言(じやうだん)まじり何時(いつ)となく心安(こゝろやす)く、お京さんお京さんとて入浸(いりびた)るを職人ども翻弄(からかひ)ては帯屋(おびや)の大将のあちらこちら、桂川(かつらがは)の幕が出る時はお半(はん)の背中(せな)に長右(てう)衛門(ゑもん)と唱(うた)はせて彼(あ)の帯(おび)の上へちょこなんと乗つて出るか、此奴(こいつ)は好(い)いお茶番(ちやばん)だと笑はれるに、

淋しく暮らしているのだから、ひまな時には遊びにも来ておくれ、私はこんな外向きな気持ちを持っているものだから、吉ちゃんのような向うっ気の強い乱暴な気性の人が大好きよ。腹が立った時には、表の米屋の白犬をなぐりつけると思って、私の家の（板に張り付けてある）洗い返し「洗って干してある布地」を、つやを出す小槌で叩く砧打ち「衣板打ち」でもやりに来ておくれ。それならお前さんも人に憎まれず私の方でも大助かり。ほんとに両方のためになるんだから

【原文】

【現代語訳】

ね」と冗談まじりに（言われて）、いっとなく心安く「お京さん、お京さん」と言って入り浸る（吉）を職人どもはからかって「帯屋の大将［「桂川連理柵」という浄瑠璃の主人公、185頁のコラムで詳述］とはあべこべだ。「桂川」の場面が始まる時は「お半の背中に長右衛門」と浄瑠璃に唱わせてあの帯の上へちょこんと乗って出るか、こいつは良いお茶番「こっけいな寸劇」だ」と笑われるのに、男なら真似てみろ、仕事やの家へ行つて茶棚の奥の菓子鉢の中に、今日は何が何箇あるまで知つて居るのは恐らく己れの外には有るまい、質屋の兀頭めお京さんに首つたけで、仕事を頼むの何が何うしたのと（「のと」→「とか」）小五月蠅這入込んでは前だれの半襟の帯つかはのと附届をして御機嫌を取つては居るけれど、遂ひしか喜んだ挨拶をした事が無い、ましてや夜るでも夜中でも傘屋の吉が来たとさへ言へば寝間着のまゝで格子戸を明けて、今日は一日遊びに来なかつたね、何うかお為か、案じて居たにと手を取つて

（吉は）「男なら真似てみろ。（俺なんか）仕立て屋の家へ行って（俺のためにとっておいてくれる）茶棚の奥の菓子鉢の中に、今日は何がいくつあるまで知っているのは、恐らく俺のほかにはないだろう。質屋のはげ頭のおやじめ、お京さんに夢中で、仕事を頼むの何のかのと小うるさく出入りをしては（そのたびに）前垂れの、半えりの、帯側のと贈り物をしては御きげんを取ってはいるけれど、根っから喜んだあいさつをしたようすが

【原文】

引入れられる者が他に有らうか、お気の毒様なこつたが独活の大木は役にたゝない、山椒は小粒で珍重されると高い事をいふに、此野郎めと脊を酷く打たれて、有がたう御座いますと済まして行く顔つき背さへあれば人串戯とて恕すまじけれど、一寸法師の生意気と爪はぢきして好い嬲りものに烟草休みの話しの種成き。

【現代語訳】

ない。（そこへゆくと俺なんぞは）夜でも夜中でも傘屋の吉が来たとさえ言えば、寝間着のままで格子戸を開けて、「今日は一日遊びに来なかったね、どうかしたかい。心配していたんだよ」と手をとって（中へ）引き入れられる者がほかにあるだろうか、お気の毒様なことだが、（お前たちのように）うどの大木「身体の大きいこと」は役に立たない、山椒は小粒「自分の背の低いことをいつもかわれるので、それを逆手にとったもの」でも珍重される」と、相手を見下した言い方をするのに、「この野郎め」と背中をぶたれて、「ありがとうございます（よくぶって下さいました）」と済まして行く顔つきを見て、背さえあれば皆冗談にしても許さないところだが「一寸法師の生意気」と相手にせず、良いなぶりものにして、煙草休みの話の種にしては笑い合った。

【原文】

下

十二月三十日の夜、吉は坂上の得意場へ誂への日限の後れしを詫びに行きて、帰りは懐手の急ぎ足、草履下駄の先にかゝる物は面白づくに蹴かへして、ころ〳〵と転げると(「と」→「を」)右に左に追ひかけては大溝の中へ蹴落して一人から〳〵と(「と」→「の」)高笑ひ、聞く者なくて天上のお月さまさも皓々と照し給ふを寒いと言ふ事知らぬ身なれば只こゝちよく爽にて、帰りは

【現代語訳】

下

十二月三十日の夜、吉は坂上にあるお得意の家へ傘を届ける日限の後れてしまったことをわびに行った帰り、ほっとした気分で懐手をして急ぎ足となり、草履下駄［板に付けた草履、雪駄とは異なる］のつま先にさわるものは面白そうに蹴とばして、ころころと転げると右に左に追いかけては大溝の中へ蹴落して、一

例の窓を敲(たゝ)いてと目算(もくさん)ながら横町を曲(まが)れば、いきなり後より追ひすがる人の、両手に目を隠くして忍び笑ひをするに、誰(だ)れだ誰れだと指を撫(な)でゝ、何(なん)だお京さんか、小指のまむしが物を言ふ、恐嚇(おどか)しても駄目だよと顔を振のけるに、

人からからと高笑いする。（それを）聞く者はなくて、天上の月が唯（彼を）こうこうと照らしているだけな（寒々とした姿な）のを、寒い（孤独な）自分の境遇を気にしない（気楽な性格な）ものだから、ただすかっとした気分で、帰りは例の〔お京の家の〕窓を叩いて、と計画を立てながら横町を曲ると、いきなり後ろから追いかけて来た人が、両手で（吉の）目かくしをして忍び笑いをするのに、（吉は）「誰だ誰だ」とその指をなでて「何だお京さんか、小指のたこが物を

【原文】

憎くらしい当てられた（「た」↓「て」）仕舞つたと笑ひ出す。

お京はお高祖頭巾（こそずきん）目深（まぶか）に風通（ふうつう）の羽織着て例（いつも）に似合ぬ宜（よ）き粧（なり）なるを、吉三は見あげ見おろして、お前何処（どこ）へ行きなすつたの、今日明日は忙がしくてお飯（まんま）を喰べる間（ま）もあるまいと言ふ

【現代語訳】

いう〔誰かを証明している〕。おどかしてもだめだよ」と顔をふりのけるのに、

（お京は）「憎らしい、当てられてしまった」と笑い出す。

（吉が見ると）お京は御高僧頭巾〔頭から顔を包む四角な頭巾〕で目の上まで包み、高級な絹の羽織を着、いつもに似合わない良い身なりをしているのを、吉三

たでは無いか、何処(どこ)へお客様にあるいて居たのと不審(ふしん)を立てられて、

取越しの御年始さと素知らぬ顔をすれば、

嘘をいつてるぜ三十日(みそか)の年始を受ける家は無いやな、親類へでも行きな

は見上げ見下ろして、「お前、どこへ行って来たの。（この前会ったとき）今日明日は忙しくてご飯を食べるひまもないだろうと言っていたじゃないか。（そんななりをして）どこへお客様に行ってきたの」と不思議がられて、

「繰り上げた年始まわりに行ってきたのさ」と（お京が）すまして答えるのに、

（吉は）「嘘を言っているよ。晦日の年始を受ける家はいないや。親類へでも行

【原文】

すつたかと問へば、

とんでも無い親類へ行くやうな身に成つたのさ、私は明日(あす)あの裏の移転(ひつこし)をするよ、余りだしぬけだから嘸(さぞ)お前おどろくだらうね、私も少し不意なのでまだ本当とも思はれない、兎(と)も角(かく)喜んでお呉れ悪るい事では無いからと言ふに、

【現代語訳】

ってきたのかい」と聞けば、

（お京は）「とんでもない親類へ行く〔後で告白する、実はお妾になるということをニヒルに言ったもの〕ような身になったのさ。私は明日あの裏長屋の〔住まいの〕引っ越しをするよ。あんまりだしぬけだから、さぞお前、驚くだろうね。私も少し不意なので、まだ本当とも思われない。ともかく喜んでおくれ、悪

本当か、本当か、と吉は呆(あき)れて、嘘では無いか串戯(じょうだん)では無いか、其様(そん)な事を言つておどかして呉れなくても宜(い)い、己(お)れはお前が居なくなつたら少しも面白い事は無くなつて仕舞ふのだから其様(そん)な厭(い)やな戯(じょうだん)言は廃(よ)しにしてお呉れ、ゑゝ詰(つま)らない事を言ふ人だと頭(かしら)をふるに、

い事ではないから」と言うのに、

「本当か、本当か」と吉は呆れて、「嘘ではないか。冗談ではないか。そんなことを言っておどかしてほしくはない。俺はお前がいなくなったら、少しも面白い事はなくなってしまう〔つまらなくなってしまう〕のだから、そんな嫌な冗談はよしておくれ。ええ、つまらない事を言う人だ」と（信じたくないように）頭を振れば、

【原文】

嘘では無いよ何時(いつ)かお前が言つた通り上等の運が馬車に乗つて迎ひに来たといふ騒ぎだから彼処(あすこ)の裏には居られない、吉(きつ)ちゃん其(その)うちに糸織(いとをり)ぞろひを調(こしら)へて上(あげ)るよと言へば、

厭(い)やだ、己(お)れは其様(そん)な物は貰ひたく無い、お前その好(い)い運といふは詰ら

【現代語訳】

(お京は)「嘘ではないよ、いつかお前が言ったように上等の運が馬車に乗って迎いに来たという騒ぎになってしまった〔妾になることをやや自嘲して言ったもの〕のだから、あすこにはいられない。吉ちゃんそのうちに(約束の)糸織ぞろひをこしらえてあげるよ」と言えば、

(吉は)「嫌だ、俺はそんな物は貰いたくはない。お前その良い運というのは、

ぬ処へ行かうといふのでは無いか、一昨日自家の半次さんが左様いつて居たに、仕事やのお京さんは八百屋横町に按摩をして居る伯父さんが口入れで何処のかお邸へ御奉公に出るのださうだ、何お小間使ひと言ふ年ではなし、奥さまのお側やお縫物しの訳は無い、三つ輪に結つて総の下つた被布を着るお妾さまに相違は無い、何うして彼の顔で仕事やが通せる物かと此様な事をいつて居た、己れは其様な事は無いと思ふから、間違ひだらうと言つて、大喧嘩を遣つたのだが、お前もしや其処へ行くのでは無いか、其お邸へ行くのであらう、と問はれて、

つまらない所へ（妾になりに）行こうというのではないか。おとというちの半次さんがそう言っていたんだけど、『仕立て屋のお京さんは八百屋横丁であんまをしている伯父さんの世話で、どこか（知らぬが）あるご大家へご奉公に行くのだそうだ。まさか（あの年は）お小間使いという年ではなし、奥様付きの女中やお縫物師［お抱えの裁縫師］であるわけがない。三つ輪まげに結って房の下った被布［羽織に似ていて、ひもが大きな房のようになっているのが特徴、殿様の愛妾

【原文】

【現代語訳】

などが着ていたところから妾の象徴となった」を着るお妾様にちがいない。どうしてあの（美しい）顔で仕立て屋で一生が送れるものか（妾になってしまうだろう」』と、こんな事を言っていた。俺はそんな事はないと思うから、まちがいだろうと言って大喧嘩をやったのだが、お前、もしかしたら其処へ行くのではないか。そのお邸へ行くのだろう」と（吉に）聞かれて、何(なに)も私(わたし)だとて行きたい事は無いけれど行かなければ成らないのさ、吉ちやんお前にも最(も)う逢はれなくなるねえ、とて唯(たゞ)いふ言(こと)ながら萎(しを)れて聞ゆれば、

何(ど)んな出世に成るのか知らぬが其処へ行くのは廃(よ)したが宜(よか)らう、何もお前女口一つ針仕事で通せない事もなからう、彼(あ)れほど利(き)く手を持つて居ながら何故つまらない其様(そん)な事を始めたのか、余(あんま)り情(なさけ)ないでは無いかと

「何も私だって行きたい事はないけれど、行かなければならないのさ。吉ちゃん、お前にももう逢われなくなるねえ」とさらりと言うことばにも（吉には）しおれたように聞こえたものだから、

「どんな出世になるか知らないが、其処へ行くのはやめた方が良いだろう。何もお前女一人針仕事で一生を終われないというわけでもないだろう。あれほどすぐれた腕をもっていながら（それを捨て

【原文】

吉は我身の潔白に比べて、お廃しよ、お廃しよ、断つてお仕舞なと言へば、

困つたねとお京は立止まつて、夫れでも吉ちやん私は洗ひ張に倦きが来て、最うお妾でも何でも宜い、何うで此様な詰らないづくめだから、寧その腐れ縮緬着物で世を過ぐ（「ぐ」

【現代語訳】

て）なぜつまらないそんな事を考え始めたのか。あんまり情けないではないか」と、吉は生まれついての潔癖な性格から「およしよ、およしよ、断っておしまいな」と言えば、

「困ったね」とお京は立ち止まって、「それでも吉ちゃん、私は洗い張り「仕立屋の仕事」に飽きが来て「つくづく嫌になって」、いっそのこと腐れ縮緬着物

↓「ご」）さうと思ふのさ。

思ひ切つた事を我れ知らず言つてほゝと笑ひしが、兎も角も家(うち)へ行かうよ、吉ちやん少しお急ぎと言はれて、

何だか己(お)れは根(ね)つから面白いとも思はれない、お前まあ先へお出よと後(あと)に附いて、地上に長き影法師(かげぼうし)を心細げに踏んで行く、

〔お妾という汚れた身分を、良い着物を着ても心は腐れきっているという言い方で表わした〕で一生を送ろうと思うのさ」と、思い切った事を思わず（やけのように）言って、「ほほ」と笑ったが「ともかくも家へ行こうよ、吉ちゃん、少しお急ぎ」と（お京に）言われて、

（吉は）「何だか俺はちっとも面白く思われない。お前まあ先へおいでよ」と後について（月に照らされて出来た）長い影法師を心細そうに踏んで行く。

【原文】

いつしか傘屋の路次を入つてお京が例の窓下に立てば、此処(こゝ)をば毎夜音づれて呉れたのなれど、明日(あした)の晩は最(も)うお前の声も聞かれない、世の中つて厭(い)やな物だねと歎息するに、夫(そ)れはお前の心がらだとて不満らしう吉三の言ひぬ。

【現代語訳】

いつのまにか傘屋の小路を入って、お京は例の（吉が夜中に来て声を掛けた）窓の下に立つと、「此処へ毎晩訪ねて来てくれたのだけど、明日の晩はもうお前の声も聞かれない。世の中って嫌なものだね」と嘆息するに、「それはお前の心がけ（のせい）じゃないか」と、不満らしく吉三は言った。

お京は家(うち)に入るより洋燈(ランプ)に火を点(うつ)して、火鉢を掻(か)きおこし、吉ちゃんやお焙(あた)りよと声をかけるに

己(お)れは厭(い)やだと言つて柱際(はしらぎは)に立つて居るを、

夫(そ)れでもお前寒(さぶ)からうでは無いか風を引くといけないと気を附ければ、

お京は家に入るとすぐランプに（火鉢の）火を移して、火鉢の火を掻き起こし、「吉ちゃんや、おあたりよ」と声を掛けるのに、

「俺はいやだ」と言って（吉は中へ入らず）入口の柱の際に立っているのを、

「それでもお前（そんなところで）寒いんじゃないの。風邪をひくといけない」と気を付ければ、

【原文】

引いても宜(い)いやね、構はずに置いてお呉れと下を向いて居るに、

お前は何(ど)うかおしか、何だか可笑(をか)しな様子だね私の言ふ事が何か疳(かん)にでも障(さわ)つたの、夫(そ)れなら其(その)やうに言つて呉れたが宜(い)い、黙つて其様(そん)な顔をして居られると気に成つて仕方が無いと言へば、

【現代語訳】

（吉は）「ひいても良いだろう。構わないでおいておくれ」と下を向いているのに、

（お京は）「お前はどうかしたの。何だかおかしなようすだね、私の言う事が何か気に障ったの、それならそのように言ってくれたら良い。黙ってそんな顔をしていられると気になってしょうがない」と言えば、

気になんぞ懸(か)けなくても能(い)いよ、己(お)れも傘屋の吉三だ女のお世話には成らないと言つて、寄(より)かゝりし柱に脊を擦(こす)りながら、あゝ詰らない面白くない、己(お)れは本当に何と言ふのだらう、いろ〳〵の人が鳥渡好(ちよつとい)い顔を見せて直様(すぐさま)つまらない事に成つて仕舞ふのだ、傘屋の先(せん)のお老婆(ばあ)さんも能(よ)い人で有つたし、紺屋(こうや)のお絹さんといふ縮(ちゞ)れつ毛(け)の人も可愛(かわい)がつて呉れたのだけれど、お老婆(ばあ)さんは中風(ちうふう)で死ぬし、お絹さんはお嫁に行くを厭(い)やがつて裏の井戸へ飛込んで仕舞つた、お前は不人情で己(お)れを捨てゝ行(ゆく)し、最(も)う何(なに)も彼(か)もつまらない、

（吉は）「気になんかかけなくても良いよ。俺も傘屋の吉三だ。女のお世話にはならない」と言って、寄りかかった柱に背中をこすりながら、（すねたようすで）「ああつまらない、面白くない、俺はほんとに何というのだろう、色々の人が一寸良い顔を見せて〔親切にしてくれて〕すぐにつまらないことになってしまうのだ。傘屋の先のお婆さんも良い人だったし、染物屋のお絹さんという縮れっ毛の人も（俺を）可愛がってくれたのだけれ

【原文】

何(なん)だ傘屋(かさや)の油(あぶら)ひきなんぞ、百人前の仕事をしたからとつて褒美(ほうび)の一つも出やうでは無し朝から晩まで一寸法師(いつすんぼうし)の言(いは)れつゞけで、夫(そ)れだからと言つて一生立つても此背(このせい)が延びやうか

【現代語訳】

ど、お婆さんは中風で死ぬし、お絹さんはお嫁に行くのを嫌がって裏の井戸へ飛び込んで（自殺して）しまった。お前は不人情で俺を捨てて行くし、もう何もかもつまらない。

何だ傘屋の油ひきなんか、百人前の仕事をしたからってほうびの一つも貰えるわけではないし、朝から晩まで一寸法師の言われ続けで、それだからって一生経っ

い、待てば甘露(かんろ)といふけれど己(お)れなんぞは一日一日厭やな事ばかり降つて来やがる、一昨日(おとゝい)半次の奴と大喧嘩(おほげんくわ)をやつて、お京さんばかりは人の妾(めかけ)に出るやうな腸(はらわた)の腐つたのでは無いと威張つたに、五日とたゝずに兜(かぶと)をぬがなければ成らないのであらう、そんな嘘つ吐(つ)きの、ごまかしの、欲の深いお前さんを姉(ねえ)さん同様に思つて居たが口惜(くちを)しい、最(も)うお京さんお前には逢(あ)はないよ、何(ど)うしてもお前には逢はないよ、長々御世話さま此処からお礼を申(まをし)ます、人をつけ、最(も)う誰(だ)れの事も当てにする物か、左様(さやう)なら、と言つて立あがり沓(くつ)ぬき（「き」→「ぎ」）の草履下駄(ざうりげた)足

てもこの背がのびるものか。待てば甘露（が降って来る）〔待っていれば良いことがある、という中国の言い伝え〕というけれど、俺なんぞは、一日一日嫌な事ばかり降って来やがる〔嫌な目にばかり逢う〕一昨日半次の奴と大喧嘩をやって、お京さんに限って人の妾になるような心の汚れた人ではないと強く言い張ったのに、五日と経たないうちに降参しなければならないのだろう。そんな嘘つきの、ごまかしの（良いくらしをしたがる）欲の深いお前さんを姉さん同様に思ってい

【原文】

に引(ひき)かくるを、

【現代語訳】

たのが口惜しい。もうお京さん（俺はこれから）お前さんには会わないよ。どうしてもお前には会わないよ。長々お世話になりました。此処から「入口を動かないすねた気持ち」お礼を申します。人をつけ「ばかにするな」、もう誰のことも頼りにするものか。さようなら」と言って（柱のところから）立ち上がり、くつぬぎ石の草履下駄足に引っかけ（て走り出ようとす）るのを、あれ吉ちゃん夫(そ)れはお前(まへ)勘違(かんちが)ひだ、何も私が此処を離れるとてお前を見捨てる事はしない、私(わたし)は本当(ほんと)に兄弟とばかり思ふのだもの其様(そん)な愛想(あいそ)づかしは酷(ひど)からう、と後(うしろ)から羽(は)がひじめに抱き止めて、気の早い子だねとお京の諭(さと)せば、

（お京はあわてて、玄関先へ走り出て）「あれ吉ちゃん、それはお前、勘違いだ。何も私が此処を離れるったってお前を見捨てることはしない。私は本当にお前を兄弟のように思っているんだもの、そんな愛想づかし「愛想をつかしたような言い方」はひどいだろう」と後ろから吉のわきの下に手を入れて、腕のつけ根を抑えて自分の胸を背中につけ、動けないようにしておいて、「気の早い子だね」とお京がさとすと、

【原文】

そんならお妾に行くを廃めにしなさるかと振かへられて、

誰れも願ふて行く処では無いけれど、私は何うしても斯うと決心して居るのだから夫れは折角だけれど聞かれないよと言ふに、

【現代語訳】

（吉は）「そんならお妾に行くのをやめになさるか」とふり返られて（お京はぐっとつまり）、

「誰もむりに行きたいところではないけれど、私はもう決心しているのだから、それはせっかく（のお前の頼み）だけれど聞かれないよ」と言うのに、

吉は涕（なみだ）の目に見つめて、お京さん後生（ごせう）だから此肩（こい）の手を放してお呉んなさい。

吉は（そのお京の目）を涙ぐんで見つめ、「お京さん、お願いだから、ここの手を放しておくんなさい。」

語りのポイント…「わかれ道」

「わかれ道」は明治二十九年（一八九六年）、雑誌『国民之友』一月号付録の「藻塩草」に掲載されたものです。『国民之友』と言えば、進歩的新進評論家徳富蘇峰が創刊した雑誌で、「藻塩草」は森鷗外・幸田露伴を始めとして、坪内逍遥・二葉亭四迷・国木田独歩などそうそうたる作家たちが寄稿していました。一葉の参加は恐らく鷗外・露伴の推挙によるものでしょうが、この「わかれ道」は、まさにそれに応えた価値ある作品で、一葉はこの年若干二十四歳。既に代表作である「たけくらべ」や「にごりえ」を世に送り、この年五月に「われから」を、さらにその同じ月、病と闘いながら執筆した、これは小説ではない例文集「通俗書簡文」を遺して世を去るのです。

いわば一葉としては晩年に至って、今まで「たけくらべ」や「にごりえ」などで少しずつ試みてきた対話体による展開を、ここで一挙に開華してみせたわけで、さながら密度の濃い一幕劇を見るような気がします。また人物の形象について言えば、主役の孤児の吉三は、ややシチュエーションはちがうが、この頃恐らく並行的に書き綴られてきた「たけくらべ」に登場する、車ひきの親爺を父に持つ下町の少年三五郎に立派に昇華されているのです。

「たけくらべ」は、一葉が桃水と別れた後、心機一転、吉原遊郭の近く下谷龍泉寺町に、妹邦子と共に駄菓子・雑貨屋を開業、その見聞を材料に、その一角に屯（たむろ）する思春期の少年少女の生態を活写した群像劇とも言えるものですが、断片的に筆を継いで、約一年かけて完成させました。思うにこの頃から一葉はストーリーの展開よりも、人物一人一人のキャラクターに興味を移してきたようで、看板の花魁を姉に持ち、将来はその跡を約束されているヒロインの美登利に対するに、これも将来は寺を継ぐべく修業に励む少年僧信如。この二人のはかない恋を軸として、これを取り巻く少年たち、長吉、正太、三五郎らそれぞれの心のひだやビビッドな行動を細かく描きだしたのはそれを十分に証明したものと思われます。

この「わかれ道」における、吉三やお京のことばも動作も実に活き活きとしています。いわゆる戯曲の「ト書き」に当たる叙述部（地の文）は極力その使用をさけ、人物の対話によってストーリーの展開をはかろうとする工夫が随所に見られますが、これを音声表現する側としては、演劇の台本を朗読するような意識を強いられることになります。

と言っても別に声色を使っての仕分け（その人物になり切った形）は必要としませんが、その人物の会話を語る場合は、その意識を切り替えるぐらいは心得なければならないでしょう。

それと、もう一つこれは一葉の文の特長として、他の作品においても言えることですが、叙述部の終わりが常に次の話者に向けられていることです。

具体的に説明すると、例えば冒頭の、吉三の羽目板を叩く音を聞きつけるお京の描写のところで、「音のするに」の「に」、続いてお京のことばの後の「嘘を言へば」の「ば」、更にその後の吉の「高く言へば」の「ば」など、皆、相手に投げかけられたものです。この後で展開される二人の会話の後ろに、いわば戯曲の「ト書き」のように記された叙述も、すべて同じ手法がとられているのです。

これは、他の作者には余り見られないもので、次の話し手の存在を際立てる一葉独特の技とも言えるものですから、音表においてもそれを十分に活かして、語尾を消さないように語ることが大切です。

では、これからその表現について具体的にご説明してゆきたいと思いますが、まずその前に、この作品の構成について考えて行きましょう。

この作品は「雪の日」とちがい、戯曲的構成となっているので、その展開の区切りは大変わかりやすいのです。

まず大ざっぱに分けると次のようになります。

上の章　お京の家（夜）における戯曲的展開
中の章　主として吉三の履歴を中心とする過去の叙述
下の章　大晦日の夜、街路からお京の家に至る戯曲的展開

これを更に細かく分けると、

◆上の章（一）　夜、家業の仕立ものに懸命に針を運ぶお京に、窓の外から声を掛ける吉三。仲の良い二人の、冗談まじりの会話。

◆上の章（二）　入って来た吉三の、餅を焼きながらのくり言。なぐさめ励ますお京。

◆中の章　吉三がこの店に拾われてから、お京と知り合う現在に至るまで。

［作者の叙述］

◆下の章（一）　その年の晦日の夜、街路で出会う二人、お京から突然別れを切り出されて驚く吉三。

◆下の章（二）　お京の家に伴われた吉三が、はじめはお京に裏切られた気持ちで、すねていたが、やがては心も和んで、静かに別れる決心をする。

［吉三の述懐を主とした戯曲的展開］

ということになるでしょうか。

次の頁から、「雪の日」同様、まずはじめの頁（右の頁）に原文を、左の頁にその音表の仕方（解説）を照応させてゆきます（原文の文章が長い場合は見開きに入れることもあり、頁の関係で解説が右の頁に入ることもあります）。

章によって更に細分化し、通し番号（丸で囲んだ数字）を次のように付けました。

◆上の章（一）①〜⑯
◆上の章（二）⑰〜㉖
◆中の章　㉗〜㉙
◆下の章（一）㉚〜㊷
◆下の章（二）㊸〜53

では、上の章（一）の①から順に見てゆきましょう。

わかれ道

原文

※①、②などの丸で囲んだ数字は前頁で説明したように細分化した数字を示す。

① お京さん居ますかと窓の戸の外に来て、こと〱と羽目(はめ)を敲(たゝ)く音のするに、

② 誰(だ)れだえ、もう寐(ね)て仕舞(しま)つたから明日(あす)来てお呉(く)れと嘘(うそ)を言へば、

③ 寐たつて宜(い)いやね、起きて明けてお呉んなさい、傘屋(かさや)の吉だよ、己(お)れだよと少し高く言へば、

〈168ページへ続く〉

解説

①　これは部屋の中にいるお京の聴いたことばですから、それから吉三がしんとした夜の闇の中で、あたりに気を配りながら、お京にだけ聞こえるように言うことばでもあることから、大きな声にはしないで下さい。

②　これは反対に大きな声で。相手が吉であることを承知で、わざとからかっているのですから。これが独り言のようになると、お京が吉を嫌っているように聞こえてしまいますから、ご注意下さい。

③　①からここの③を含め④までの二人のやりとりは、親密な関係を冒頭から表わそうとした一葉の心憎い手法ですから、音表はそれをイキイキと活かすようにつとめましょう。

〈169ページへ続く〉

原文

④

嫌な子だね此様(こん)な遅くに何を言ひに来たか、又お餅(かちん)のおねだりか、と笑つて、今あけるよ少時辛棒(しばらくしんぼう)おしと言ひながら、仕立かけの縫物に針どめして立つは年頃二十(としごろはたち)余りの意気な女、多い髪の毛を忙しい折からとて結び髪(むすびがみ)にして、少し長めな八丈(はちでう)の前だれ、お召の台なしな半天(はんてん)を着て、急ぎ足に沓脱(くつぬぎ)へ下りて格子戸に添ひし雨戸を明(あ)くれば、

⑤

お気の毒さまと言ひながらずつと這入(はい)るは一寸法師(いつすんぼし)と仇名(あだな)のある町内の暴れ者、傘屋(かさや)の吉(きち)とて持て余(あま)しの小僧なり、年は十六なれども不図(ふと)見る処は一か二か、肩幅(かたはゞ)せばく顔小(ちい)さく、目鼻だちはきり〳〵と利口(りこう)らしけれど何(いか)にも脊(せい)の低(ひ)くければ

〈170ページへ続く〉

解説

④　これも②と同じ理由で大きく。「仕立かけの縫物に〜」からは、お京の姿を表わしていますから、柔らかくゆっくりと。特に「お召の台なし［現代語訳104頁参照］な半天を着て〜」以降は丹念に。

⑤　この、吉三の人物紹介は実にリズミカルで、特に「町内の暴れ者」や、「不図見る処は一か二か」、「〜仇名はつけゝる」（170頁）の語尾の歯切れ良さは、「雪の日」と比べると目を見張るものがあります。

〈171ページへ続く〉

原文

人嘲りて仇名はつけゝる。御免なさい、と火鉢の傍へづか〳〵と行けば、

⑥ 御餅を焼くには火が足らないよ、台処の火消壺から消し炭を持つて来てお前が勝手に焼いてお喰べ、私は今夜中に此れ一枚を上げねば成らぬ、角の質屋の旦那どのが御年始着だからとて針を取れば、

⑦ 吉はふゝんと言つて彼の兀頭には惜しい物だ、御初穂を我れでも着て遣らうかと言へば、

〈172ページへ続く〉

解説

⑥　このお京のことばの中には、さっきのじゃれ合いとはちがって吉に対する姉のようなやさしさが表われています。

⑦　吉の小なまいきな性格を表わしたことばではあるが、一葉の、金持ち階級に対する抵抗精神を表わしたものでもあると思われます。

〈173ページへ続く〉

⑧馬鹿をお言ひで無い人のお初穂を着ると出世が出来ないと言ふでは無いか、今つから延びる事が出来なくては仕方が無い、其様（そん）な事を他処（よそ）の家（いえ）でもしては不用（いけない）よと気を付けるに、

⑨己（お）れなんぞ御出世は願はないのだから他人（ひと）の物だらうが何だらうが着かぶつて遣（や）るだけが徳さ、お前さん何時（いつ）か左様（さう）言つたね、運が向く時に成（な）ると己（お）れに糸織（いとをり）の着物をこしらへて呉れるつて、本当に調（こしら）へて呉れるかえと真面目（まじめ）だつて言へば、

〈174ページへ続く〉

解説

⑧　それまでの会話に続いて、お京の吉三に対する姉のようなさとしの表現。「不用(いけない)よ」の「よ」はしっかりときびしく。

⑨　吉三の言い返しはあまり強くならないように。それよりもその後の「お前さん何時(いっ)か左様(さう)言つたね」以下の、お京に対する甘えの方を強く出しましょう。

〈175ページへ続く〉

原文

⑩ 夫(そ)れは調(こし)らへて上げられるやうならお目出度(めでたい)のだもの喜んで調(こし)らへるがね、私(わたし)が姿を見てお呉れ、此様(こん)な容躰(ようだい)で人さまの仕事をして居る境界(きようがい)では無からうか、まあ夢のやうな約束さとて笑つて居れば、

⑪ いいやな夫(そ)れは、出来ない時に調(こし)らへて呉れとは言は無い、お前さんに運の向いた時の事さ、まあ其様(そん)な約束でもして喜ばして置いてお呉れ、此様(こん)な野郎が糸織(いとをり)ぞろへを冠(かぶ)つた処がをかしくも無いけれどもと淋しさうな笑顔をすれば、

⑫ そんなら吉ちやんお前が出世の時は私(わたし)にもしてお呉れか、其約束も極(き)めて置きたいねと微笑(ほゝゑ)んで言へば、

〈176ページへ続く〉

解説

⑩　これはお京の本心ですが、あまり卑屈にならないように、さらりと言うようにしましょう。

尚「容躰」は、今は「容体がすぐれない」というように、病人のようすに使いますが、昔は「様子」「有り様」のような軽い意味ですから、そのつもりで重くならないようにして下さい。

⑪　吉三のやさしさと淋しさを表わした大切なせりふです。「淋しさうな笑顔」は、印象に残るように丁寧に読みましょう。

⑫　冗談ぽく笑いながら。

〈177ページへ続く〉

原文

⑬ 其つはいけない、己れは何うしても出世なんぞは為ないのだから。

⑭ 何故何故。

⑮ 何故でもしない、誰れが来て無理やりに手を取つて引上げても己れは此処に斯うして居るのが好いのだ、傘屋の油引きが一番好いのだ、何うで盲目縞の筒袖に三尺を脊負つて産て来たのだらうから、渋を買ひに行く時かすりでも取つて吹矢の一本も当りを取るのが好い運さ、お前さんなぞは以前が立派な人だと言ふから今に上等の運が馬車に乗つて迎ひに来やす

〈178ページへ続く〉

解説

⑬　これはまじめに、かたくなる感じで。

⑭　切り返すようにテンポ早く。

⑮　これも「間」を開けずに「何故でもしない、」と言ってから、その後は心にもない虚勢を張って言うわけですが、これは〈下の章の（二）〉の㊾「何だ傘屋の油ひきなんぞ～」（216頁）の本音に対応するもので、この辺にも一葉の計算が施されているわけですから、しっかりと読んでおきましょう。

この吉三のせりふは二つの点で重要です。それはまず、吉三がお京を妾になどなるわけはないと固く信じていることです。そして、それを口に出したことでお京が怒るのではないかと、それほどお京の心が潔癖だと一人決めしていることです。だからこそラストでそのお京が妾になることを知った時の吉の失望

〈179ページへ続く〉

原文

のさ、だけれどもお妾(めかけ)に成ると言ふ謎(なぞ)では無いぜ、悪く取つて怒つてお呉んなさるな、と火なぶりをしながら身の上を歎くに、

⑯ 左様(さう)さ馬車の代りに火の車でも来るであらう、随分(ずいぶん)胸の燃える事が有るからね、とお京は尺(ものさし)を杖に振返りて吉三が顔を守りぬ。

⑰ 例(いつも)の如く台処(だいどころ)から炭を持出して、お前は喰ひなさらないかと聞けば、

⑱ いゝゑ、とお京の頭(つむり)をふるに、

〈180ページへ続く〉

解説

と怒りの正当性が浮かび上がるわけですが、それはあくまでも後のことで、ここでの吉のせりふは、信じ切った感じでさらりと言うべきでしょう。

⑯　このお京のせりふは、物差しを畳に突き立てて吉三の顔をじっと見守りながら言う、本音の思い入れを含んだものですから、「有るからね」の「ね」にその思いが出るように工夫して下さい。

⑰　「吉は」ということばが省略されていることを頭に置いて、はっきり高く転調して入りましょう。

⑱　軽く、日常的に。

〈181ページへ続く〉

原文 ⑲

では己(お)ればかり御馳走さまに成(な)らうかな、本当に自家(うち)の吝嗇(けちん)ぼうめ八釜(やかま)しい小言(こごと)ばかり言やがつて、人を使ふ法をも知りやがらない、死んだお老婆(ばあ)さんは彼(あ)んなのでは無かつたけれど、今度の奴等と来たら一人として話せるのは無い、お京さんお前は自家(うち)の半次さんを好きか、随分厭味(いやみ)に出来あがつて、いゝ気(き)の骨頂(こつてう)の奴では無いか、己(お)れは親方の息子だけれど彼奴(あいつ)ばかりは何(ど)うしても主人とは思はれない番(ばん)ごと喧嘩(けんくわ)をして遣(や)り込めてやるのだが随分おもしろいよと話しながら、鉄網(かなあみ)の上へ餅をのせて、おゝ熱々(あつ〳〵)と指先を吹いてかゝりぬ。

〈182ページへ続く〉

解説

⑲

この吉三のせりふは、動きを伴っていることを考えながら話すべきでしょう。特に「本当に自家(うち)の吝嗇(けちん)ぼうめ〜」以下は餅を金網の上にのせながら愚痴をこぼす吉が、半次の話に夢中になり、つい指が熱い金網の縁にふれて「お〻熱々」となる滑稽を、役者の気持ちで演じるのも楽しいと思います。

このようにこの吉の描写は、動きもせりふも実に活き活きしており、お京もそうですが、二人のやりとりは、さながら芝居の舞台を見るように展開してゆきます。従って音表も、この二人の心の動きを我がものとして、自然に身をまかせてゆくことになるのです。

〈183ページへ続く〉

原文

⑳ 己れは何うもお前さん（「ん」→「ま」）の事が他人のやうに思はれぬは何ういふ物であらう、お京さん（「ん」→「ま」）お前は弟といふを持つた事は無いのかと問はれて、

㉑ 私は一人娘で同胞なしだから弟にも妹にも持つた事は一度も無いと言ふ、

㉒ 左様かなあ、夫れでは矢張何でも無いのだらう、何処からか斯うお前のやうな人が己れの真身の姉さんだとか言つて出て来たら何んなに嬉しいか、首つ玉へ噛り付いて己れは夫れ限り往生しても喜ぶのだが、本当に己れは木の股からでも出て来たのか、遂ひしか親類らしい者に逢つた事も無い、夫れだ

〈184ページへ続く〉

解説

⑳　これからは吉の述懐が主になります。

㉑　しんみりではなく、軽くさらりと。

㉒　特にここの長ぜりふは、まるで浄瑠璃のくどき（人物が心の中の思いをしめやかに語る部分）のように語られていますから、語り手はその心持ちに添って、情緒的に音表して行かねばなりません。
「もう少し生て（いき）」（184頁）以下は、吉三の切なる願いが噴出したもの。「お京さん」の呼びかけの語尾は悲しげに。

〈187ページへ続く〉

原文

から幾度も幾度も考へては己れは最う一生誰れにも逢ふ事が出来ない位なら今のうち死んで仕舞つた方が気楽だと考へるがね、夫れでも欲があるから可笑しい、ひよつくり変てこな夢何かを見てね、平常優しい事の一言も言つて呉れる人が母親や親父や姉さんや兄さんの様に思はれて、もう少し生て居←（「やうかしらもう一年も生きて居」追加）たら誰れか本当の事を話して呉れるかと楽しんでね、面白くも無い油引きをやつて居るが己れみたやうな変な物が世間にも有るだらうかねえ、お京さん母親も親父も空つきり当が無いのだよ、親なしで産れて来る子があらうか、己れは何うしても不思議でならない、と焼あがりし←（「し」→「たる」）餅を両手でたたきつゝ（「つゝ」省略）例も言ふなる心細さを繰返せば、

〈186ページへ続く〉

●コラム●

浄瑠璃の「桂川連理柵」

「桂川連理柵」は、「摂州合邦辻」で有名な菅専助の安永五（１７７６）年の作で、京都市の西部を流れ、淀川に注ぐ桂川で心中を遂げた、中年男と二十以上も年下の娘との哀れな実話を劇化したもの。一家を構えて安楽な生活を営んでいた四十男の帯屋の長右衛門は、ふとしたことから隣の信濃屋の娘お半に慕われることとなる。彼は貞淑な女房お絹の真心との間に挟まれて苦悩するが、次第に二人の愛は深まり、遂にお半は懐妊。さらに長右衛門は大名から預かっていた刀を信濃屋の丁稚にすり替えられたこともあり、遂に進退極まり、心から行を共にと願うお半を道連れに心中を決意する。

「わかれ道」の中で吉三をからかう同僚たちのことばは、この浄瑠璃を種としたもの。「帯屋の大将のあちらこちら」の「あちらこちら」は「あべこべ」の意で、次の、お半の帯の上に背の低い吉がちょこんと乗って出る図を描いて言ったもの。

原文

㉓夫れでもお前笹づる錦の守り袋といふ様な証拠は無いのかえ、何か手懸りは有りさうな物だねとお京の言ふを消して、

㉔何其様な気の利いた物は有りさうにもしない生れると直さま橋の袂の貸赤子に出されたのだなどゝ朋輩の奴等が悪口をいふが、もしか（「も」追加）すると左様かも知れない、夫れなら己れは乞食の子だ、母親も親父も乞食かも知れない、表を通る襤褸を下げた奴が矢張己れが親類まきで毎朝きまつて貰ひに来る跛跋片眼の彼の婆あ何かゞ己れの為の何に当るか知れはしない、話さないでもお前は大底しつて居るだらうけれど今の傘屋に奉公する前は矢張己れは角兵衛の獅子を冠つて歩いたのだからと打しをれて、お京さん己れが本当に乞食の子

〈188ページへ続く〉

解説

㉓　このお京のせりふは、余りに沈んでいる吉三の心を明るく引き立てようとしているものなので、思い切って明るく。でもからかった調子にはならないように気をつけて。

㉔　まじめに、ますます暗く。「話さないでも」以下にある「角兵衛の獅子」（80頁のコラム参照）は、次の〈中の章〉（㉗〜）に関連するので、はっきりと立てておいて下さい。

吉のこのせりふは、お京の「そんなことはない」という答えを期待した甘えを含んだもの。「〜呉れないだらうか」「〜呉れまいね」にそういう感情が込められねばならないでしょう。

〈189ページへ続く〉

原文

ならお前は今までのやうに可愛がつては呉れないだらうか、振向いて見ては呉れまいねと言ふに、

㉕ 串談をお言ひでないお前が何のやうな人の子で何んな身か夫れは知らないが、何だからとつて嫌やがるも嫌やがらないも言ふ事は無い、お前は平常の気に似合ぬ情ない事をお言ひだけれど、私が少しもお前の身なら非人でも乞食でも構ひはない、親が無からうが兄弟が何うだらうが身一つ出世をしたらば宜からう、何故其様な意気地なしをお言ひだと励ませば、

㉖ 己れは何うしても駄目だよ、何にも為やうとも思はない、と下を向いて顔をば見せざりき。

〈190ページへ続く〉

解説

㉕　案の定、お京のことばは吉を強く励ますものとなりました。従って、その否定的な語尾「～ない」がすべて強くなります。
そして「私が少しも～」からは、我が道を行こうとするお京の気の強さを表わしたものですからことさら力強く。

㉖　最も弱い吉三の本音。しかし「見せざりき」の「き」はこの章の最後のことばとなるものですから、しっかりと止めて終わりましょう。
次から〈中の章〉（㉗～㉙）に入ります。この部分は叙述体になっており、三段落に分かれています。

〈191ページへ続く〉

原文

㉗

今は亡せたる傘屋の先代に太つ腹のお（「お」省略）松と（「と」→「つ」）て一代に身上をあげたる、女相撲のやうな老婆さま有りき、六年前の冬の事寺参りの帰りに角兵衛の子供を拾ふて来て、いゝよ親方から八釜しく言つて来たら其時の事、可愛想に足が痛くて歩かれないと言ふと朋輩の意地悪が置ざりに捨てゝ行つたと言ふ、其様な処へ帰るに当るものか少とも怕かない事は無いから私が家に居なさい、皆も心配する事は無い何の此子位のもの二人や三人、（「、」→「や」）台所へ板を並べてお飯を喰べさせるに文句が入る物か、判証文を取つた奴でも欠落をするもあれば持逃げの吝な奴もある、了簡次第の物だわな、いはゞ馬には乗つて（「は」→「も」）見ろさ、役に立つか立たないか置い

〈192ページへ続く〉

解説

㉗

ここに登場する相撲取りのような大女（老婆）のキャラクターは、一葉の作品の中でも珍しく、語り手としても腕の見せ処となるところですが、難しいのはせりふの方向性です。急に変な子供を連れて帰って来た自分に奇異な目を向けている息子夫婦や使用人に向かって「いいよ」と大きく抑えるように言う声と、脇に小さくなっている吉にやさしく小さく言う声の色のちがいを巧みに使い分けて、この老婆の存在感を出さなければなりません。別にせりふのようにというのではなく、その方向と視野を想像することによって、自然な転調になることが望ましいと考えます。

「～夫(そ)れよりの丹精」（192頁）の「丹精」は体言止めではあるがその意味は深く、「それから（お松）の、吉に技術を教え込もうとする丹精に従つて（吉も）丹精して」という、二人の「丹精」の意味を含んでいるものと思われます。このように「体言（名詞）止め」の用い方は、単にそのことばの意味を強調するのみではなく、このような深い意味を込めた場合もあるのです。

〈193ページへ続く〉

原文

て見なけりや知れはせん、お前新網(しんあみ)へ帰るが嫌やなら此家(こゝ)を死場(しにば)と極(き)めて勉強をしなけりや成らないよ、しつかり遣(や)つてお呉れと言ひ含められて、吉(きち)や〳〵と夫(そ)れよりの丹精今油ひきに、大人三人前を一手に引うけて鼻唄(はなうた)交(まじ)り遣(や)つて退(の)ける腕を見るもの、流石(さすが)に眼鏡と亡(な)き老婆(ひと)をほめける。

←（「勉強をしなけりや」→「骨を折らなきや」）

㉘

恩ある人は二年目に亡(う)せて今の主(あるじ)も内儀様(かみさま)も息子の半次も気に喰はぬ者のみなれど、此処(こゝ)を死場と定(さだ)めたるなれば厭(い)やとて更に何方(いづかた)に行くべき、身は疳癪(かんしやく)に筋骨(すぢぼね)つまつてか人よりは一寸法師(いつすんぼし)一寸法師と誹(そし)らるゝも口惜(くちを)しきに、吉や手前(てめへ)は親の日に腥(なまぐ)さを喰(や)つたであらう、ざまを見ろ廻りの廻りの小仏

〈194ページへ続く〉

解説

㉘

ここは、唯一の庇護者であった老婆〈主人〉に死なれ、周囲は皆敵のような人たちばかりで孤独の身となってしまった吉の嘆きが語られますが、ここはあくまでも客観的な叙述ですから、〈上の章〉や〈下の章〉のように、主観的な嘆き節にならないように注意して下さい。

ここでは吉三の悲しい姿が語られています。

「干場（ほしば）の傘のかげに隠れて」〈194頁〉から「こぼるゝ涙を呑込みぬる悲しさ」の体言止めまでは、十分に映像化できるようにしんみりとメリハリ読みで。

次の「四季押（おし）とほし」から「乱暴も」までは一語読みに切り替えて強く。「仮にも〜」からは再びしんみりと言うように巧みな転調が必要です。

尚「メリハリ読み」と「一語読み」については、「付録」〈247頁。「一語読み」は237頁、「メリハリ読み」は235頁〉を参照。

〈195ページへ続く〉

原文

と朋輩の鼻垂れに仕事の上の仇を返されて、鉄拳に張たほす勇気はあれど誠に（「も」追加）父母いかなる日に失せて何時を精進日とも心得なき身の、心細き事を思ふては干場の傘のかげに隠れて大地を枕に仰向き臥してはこぼるゝ涙を呑込みぬる悲しさ、四季押とほし油びかりする目くら縞の筒袖を振つて火の玉の様な子だと町内に怕がられる乱暴も慰むる人なき胸ぐるしさの余り、仮にも優しう言ふて呉れる人のあれば、しがみ附いて取ついて離れがたなき思ひなり。

㉙

仕事屋のお京は（「は」→「、」）今年の春より此裏へと越して来し物なれど物事に気才の利きて長屋中への交際もよく、大屋なれば傘屋の

〈196ページへ続く〉

解説

㉙

ここからはカラッと明るく、お京のキャラクターをはっきりと印象づけること。思い切って高く入りましょう。「小僧さん達～」（196頁）からはやさしさもにじませて。「私は常住～造作は無い」まではシャキシャキと明るく、「一人住居（ずまい）の～」からは、吉三ひとりに向かって情を込めて言う感じに切り替えなければなりません。前者と後者とは話し手の相手もちがえば、場所も局面もちがうからです。でも深く読みとれば作者はその文に何かヒントを残しているので、とにかく読解力が大切です。「帯屋の大将の～」については185頁のコラム参照。

ここには同僚にからかわれた吉三が、精一ぱいの虚勢を込めて言い返す場面があります。この部分は少し高調子に入りましょう。「今日は一日～」（197頁）は大げさに声を作るのもいいでしょう。「お気の毒様なこつたが～」（198頁）は思い切り憎々しく、その後の開き直った「有がたう御座います」の作り声も同様です。「背さへあれば～」からは中音の語りに戻りしっかりと。最後の「種（たね）成（なり）き」の「き」は消えないように気をつけて下さい。

〈199ページへ続く〉

原文

者へは殊更に愛想（あいそう）を見せ、小僧さん達着る物のほころびでも切れたなら私の家へ持つてお出、お家は御多人数（ごたにんず）お内儀（かみ）さんの針もつていらつしやる暇（ひま）はあるまじ、私は常住（じようぢう）仕事（しごと）畳紙（たゝう）と首（くび）つ引（ぴき）の身なれば本（ほん）の一針造作（ひとはりざうさ）は無い、一人住居（ひとりずまい）の相手なしに毎日毎夜（よ）さびしくつて暮して居るなれば手すきの時には遊びにも来て下され、私（わたし）は此様（こん）ながらがらした気なれば吉ちやんの様（やう）な暴（あば）れ様（さん）が大好き、疳癪（かんしやく）がおこつた時には表の米屋が白犬を擲（は）ると思ふて私の家の洗ひかへしを光沢（つや）出（だ）しの小（こ）槌（づち）に、碪（きぬた）うちでも遣（や）りに来て下され、夫（そ）れならばお前さんも人に憎くまれず私の方でも大助かり、本（ほん）に両為（りようだめ）で御座んすほどにと戯言（じようだん）まじり何時（いつ）となく心安（こゝろやす）く、お京さんお京さんとて入浸るを職人ども(「ども」→「など」)←翻弄ては帯屋の大将のあちらこちら、桂川の幕が出る時はお半の背中に長右衛門と唱はせて彼の帯の上へちょこなんと乗つて出るか、此奴は好いお茶番だと笑はれるに、男なら真似てみろ、仕事やの家へ行つて茶棚の奥の菓子鉢の中に、今日は何が何箇あるまで知つて居るのは恐らく己れの外には有るまい、質屋の禿頭めお京さんに首つたけで、仕事を頼むの何が何うしたの(「のと」→「とか」)←と小五月蝿這入込んでは前だれの半襟の帯つかはのと附届をして御機嫌を取つては居るけれど、遂ひしか喜んだ挨拶をした事が無い、ましてや夜るでも夜中でも傘屋の吉が来たとさへ言へば寝間着のまゝで格子戸を明けて、今日は一日遊びに来なかつたね、何うか

〈198ページへ続く〉

お為(し)か、案じて居たにと手を取つて引入れられる者が他(ほか)に有らうか、お気の毒様なこつたが独活(うど)の大木(たいぼく)は役にたゝない、山椒(さんしよ)は小粒で珍重されると高い事をいふに、此野郎めと脊(せ)を酷(ひど)く打たれて、有がたう御座いますと済まして行く顔つき背(せい)さへあれば人串戯(ひとぢようだん)とて恕(ゆる)すまじけれど、一寸法師(いつすんぼし)の生意気と爪(つま)はぢきして好(よ)い嬲(なぶ)りものに烟草休(たばこやす)みの話しの種成(たねなり)き。

㉚

十二月三十日の夜(よ)、吉(きち)は坂上(さかうへ)の得意場(とくいば)へ誂(あつら)への日限(にちげん)の後(おく)れしを詫(わ)びに行きて、帰りは懐手(ふところで)の急ぎ足、草履下駄(ざうりげた)の先にかゝる物は面白づくに蹴かへして、ころ〳〵と転(ころ)げると（「と」→「を」）右に左に追ひかけては大溝(おほどぶ)の中へ蹴落(けおと)して一人

〈200ページへ続く〉

解説

㉚

ここから〔下の章〕に入ります。と共に、文はまた、〔上の章〕のような戯曲的展開に戻ります。まずは語り出しから。ここは〔中の章〕に引き続いての語りではありますが、十分に「間」をとって静かに語り始めて下さい。「～の急ぎ足」、「～の高笑ひ」（200頁）の体言止めの部分はしっかりと語尾を止めましょう。

足にかかる物を転がしながら、溝の中へ蹴落として一人で笑っているのを月だけがこうこうと照らしている吉三の姿は、詩的な映像美とも言えるもので、一葉の文才をよく表わしたものと思われますが、音表者はこういうところこそ、それをよく味わってしみじみと語るべきでしょう。

「寒(さぶ)いと言ふ事～」（200頁）からはカラリと転調して弾むように、更に「いきなり後より～」からはテンポ早くイキイキと。

〈201ページへ続く〉

原文

からからと高笑ひ、←(「と」→「の」) 聞く者なくて天上のお月さまさも皓々と照し給ふを寒いと言ふ事知らぬ身なれば只こゝちよく爽にて、帰りは例の窓を敲いてと目算ながら横町を曲れば、いきなり後より追ひすがる人の、両手に目を隠くして忍び笑ひをするに、誰れだ誰れだと指を撫でゝ、何だお京さんか、小指のまむしが物を言ふ、恐嚇しても駄目だよと顔を振のけるに、

㉛ 憎くらしい当てられた(「た」→「て」) 仕舞つたと笑ひ出す。

㉜ お京はお高祖頭巾目深に風通の羽織着て例に似合ぬ宜き粧なるを、吉三は見あげ見おろして、お前何処へ行きなすつた

〈202ページへ続く〉

解説

㉛　このお京の声は出来るだけ明るく。それには二つの意味があります。一つは気の進まぬ姿に行くことを悩みながら歩いている目の先に吉の姿を認めて救われたような気になったことと、もう一つは心の憂うつを隠してムリに明るくふるまおうとする気持ちも交っているからです。

これから後の㉝も㉟も同じです。

㉜　吉にすれば、お京の不自然な明るさと、そのよそゆきの身なりに、不審な目を向けざるを得ません。ここはそんな気持ちで。

〈203ページへ続く〉

原文

の、今日明日は忙がしくてお飯を喰べる間もあるまいと言ふたでは無いか、何処へお客様にあるいて居たのと不審を立てられて、

㉝ 取越しの御年始さと素知らぬ顔をすれば、

㉞ 嘘をいつてるぜ三十日の年始を受ける家は無いやな、親類へでも行きなすつたかと問へば、

㉟ とんでも無い親類へ行くやうな身に成つたのさ、私は明日あの裏の移転をするよ、余りだしぬけだから嘸お前おどろくだらうね、私も少し不意なのでまだ本当とも思はれない、兎も

〈204ページへ続く〉

解説

㉝ 心の中の動揺を隠して、さらりと。

㉞ 反射的に、でも鋭くはなく。

㉟ 「とんでも無い親類へ」はお京の本音です。今まで、明るくふるまっていたお京の声が、ここでちょっぴり暗くニヒルに変わります。でも「兎も角〜」以下は、その気持ちを切り替えるように明るく。

〈205ページへ続く〉

角喜んでお呉れ悪るい事では無いからと言ふに、

㊱ 本当か、本当か、と吉は呆れて、嘘では無いか串戯では無いか、其様な事を言つておどかして呉れなくても宜い、己れはお前が居なくなつたら少しも面白い事は無くなつて仕舞ふのだから其様な厭やな戯言は廃しにしてお呉れ、ゑゝ詰らない事を言ふ人だと頭をふるに、

㊲ 嘘では無いよ何時かお前が言つた通り上等の運が馬車に乗つて迎ひに来たといふ騒ぎだから彼処の裏には居られない、吉ちやん其うちに糸織ぞろひを調へて上るよと言へば、

〈206ページへ続く〉

解説

㊱　純粋に驚いて信じようとしない吉三。十六の少年が、懸命に訴える姿をテンポ早く。

尚「呆れる」は現在使われている、やや非難を含んだ「呆れる」とはちがって、「どうして良いか、わからなくなって」つまり「呆然として」の方に寄った気持ちです。

㊲　「糸織ぞろひ」は〈上の章〉の会話の中に出て来たことばですが、ここでのお京のことばには、ニヒルな気持ちが込められています。

〈207ページへ続く〉

原文

㊳

厭やだ、己れは其様な物は貰ひたく無い、お前その好い運といふは詰らぬ処へ行かうといふのでは無いか、一昨日自家の半次さんが左様いつて居たに、仕事やのお京さんは八百屋横町に按摩をして居る伯父さんが口入れで何処のかお邸へ御奉公に出るのださうだ、何お小間使ひと言ふ年ではなし、奥さまのお側やお縫物しの訳は無い、三つ輪に結つて総の下つた被布を着るお妾さまに相違は無い、何うして彼の顔で仕事やが通せる物かと此様な事をいつて居た、己れは其様な事は無いと思ふから、間違ひだらうと言つて、大喧嘩を遣つたのだが、お前もしや其処へ行くのでは無いか、其お邸へ行くのであらう、と問はれて、

〈208ページへ続く〉

解説

㊳

お京のことばを聞いて吉の心は益々エスカレートします。

日頃きらっている半次から聴いたことばが頭にあるものだから、よけい嫌な不安が頭をよぎるのです。ここは半次のことばを憎らしそうに声色を使って表現しましょう。

言い募る吉のことばのうち、終わりの「お前もしや其処へ行くのでは〜」という部分はお京の目の奥をしっかりと見つめて。

「行くのであらう」は強く言い切ることが必要です。

〈209ページへ続く〉

原文

㊴ 何(なに)も私(わたし)だとて行きたい事は無いけれど行かなければ成らないのさ、吉ちやんお前にも最(も)う逢はれなくなるねえ、とて唯(たゞ)い ふ言(こと)ながら萎(しを)れて聞ゆれば、

㊵ 何(ど)んな出世に成るのか知らぬが其処へ行くのは廃(よ)したが宜(よか)らう、何もお前女口一つ針仕事で通せない事もなからう、彼(あ)れほど利(き)く手を持つて居ながら何故つまらない其様(そん)な事を始めたのか、余(あんま)り情(なさけ)ないでは無いかと吉は我身の潔白(けつぱく)に比(くら)べて、お廃(よ)しよ、お廃しよ、断(ことは)つてお仕舞なと言へば、

㊶ 困つたねとお京は立止まつて、夫(そ)れでも吉ちやん私(わたし)は洗ひ張

〈210ページへ続く〉

解説

㊴　お京も吉の見幕の強さに思わずタジタジとして本音をもらす。その前には息づまるような「間」を必要とします。

㊵　お京のしおれ方に同情した吉は、今度はやさしくさとすように情を込めて。ここは、お京より四つも年下でありながら、苦労を重ねて来た吉三の、切々とした真心を表わしたいものです。

㊶　吉三の真心を込めた訴えかけに、それまで虚勢を張っていたお京も少しずつ本音をもらすようになり、とうとうその核心的なことばを少しやけ半分に吐き出してしまいます。そのことばとは「寧（いっ）その腐（くさ）れ縮緬（ちりめん）着物（ぎもの）で～」（210頁）で、ここに、妾というものが汚れた存在であると思い、それを嫌いながらも、その道をとらざるを得ない、葛藤と煩悶の末にしぼり出された、それこそ血を吐くようなひびきがあると、捉えるべきでしょう。その後の笑いはニヒルに。

〈211ページへ続く〉

に倦(あ)きが来て、最(も)うお妾でも何でも宜(い)い、何(ど)うで此様(こん)な詰らないづくめだから、寧(いつ)その腐(くさ)れ縮緬着物(ちりめんぎもの)で世を過ぐ（「ぐ」↓「ご」）さうと思ふのさ。

思ひ切つた事を我れ知らず言つてほゝと笑ひしが、兎も角も家(うち)へ行かうよ、吉ちやん少しお急ぎと言はれて、

㊷何だか己(お)れは根(ね)つから面白いとも思はれない、お前まあ先へお出よと後(あと)に附いて、地上に長き影法師(かげぼうし)を心細げに踏んで行く、

㊸いつしか傘屋の路次を入つてお京が例の窓下に立てば、此処(こゝ)をば毎夜音づれて呉れたのなれど、明日(あした)の晩は最(も)うお前の声

〈212ページへ続く〉

解説

「兎も角も～」からはキリッと明るく。

㊷　吉三のこの姿は、前の、足先にかかるものを転がしながら歩いて行く姿とダブりますが、ここはしみじみと哀しく。

㊸　〔下の章（二）〕（㊸～㊾）に入ります。〔下の章〕の（一）から（二）の間は、お京の後をとぼとぼとついて行く吉三の姿がありますが、その間に舞台は廻って、お京の家の横側の窓下になります。このような場面の変わり方を「盆の半廻し」といって、廻り舞台が半分廻って場面が変わることを言いますが、恐らく、文楽や歌舞伎をよく見ていた一葉は、その舞台転換を頭に描きながらこの場面を書いたのだろうと私には思われるのです。

〈213ページへ続く〉

原文

も聞かれない、世の中つて厭(い)やな物だねと歎息するに、夫(そ)れはお前の心がらだとて不満らしう吉三の言ひぬ。

㊹ お京は家(うち)に入るより洋燈(ランプ)に火を点(う)つして、火鉢を掻(か)きおこし、吉ちやんやお焙(あた)りよと声をかけるに

㊺ 己(お)れは厭(い)やだと言つて柱際(はしらぎは)に立つて居るを、

㊻ 夫(そ)れでもお前寒(さぶ)からうでは無いか風を引くといけないと気を附ければ、

㊼ 引いても宜(い)いやね、構はずに置いてお呉れと下を向いて居るに、

〈214ページへ続く〉

解説

㊹　舞台がさらに廻るとお京の家の入口から部屋の中となり、土間へ上がって柱際にすねたように身をもたせている吉三と、奥のランプに火を灯し、火鉢の脇に座って、そこから吉三に声をかけるお京とのやりとりで舞台は展開します。

㊺　すねている吉三の声と姿です。

㊻　お京のやさしさを表わして。

㊼　すねている上に、すて鉢な強さで。

〈215ページへ続く〉

原文

⑱ お前は何(ど)うかおしか、何だか可笑(をか)しな様子だね私の言ふ事が何か疳(かん)にでも障(さわ)つたの、夫(そ)れなら其(その)やうに言つて呉れたが宜(い)い、黙つて其様(そん)な顔をして居られると気に成つて仕方が無いと言へば、

⑲ 気になんぞ懸(か)けなくても能(い)いよ、己(お)れも傘屋の吉三だ女のお世話には成らないと言つて、寄(より)かゝりし柱に脊を擦(こす)りながら、あゝ詰らない面白くない、己(お)れは本当に何と言ふのだらう、いろ〱の人が鳥渡(ちよつと)好(い)い顔を見せて直様(すぐさま)つまらない事に成つて仕舞ふのだ、傘屋の先(せん)のお老婆(ばあ)さんも能(よ)い人で有つたし、紺屋(こうや)のお絹さんといふ縮(ちゞ)れつ毛(け)の人も可愛(かわい)がつて呉れた

〈216ページへ続く〉

解説

㊽

ここからのお京の声は吉三に呼びかけるような、やや大きめの声が必要です。これを距離感を出すと言いますが、二人の位置が離れていることを表現するためにはぜひとも必要なのです。

㊾

吉の場合もやはり距離感は必要ですが、「あゝ詰らない」以下は半分は愚痴まじりの独り言を少し大きめの声でお京に聞かせているのですから、その声を崩さないように気をつけなければなりません。特にその話の中に登場する一人一人の名前、「先のお老婆さん」「紺屋のお絹さん」ははっきりと立てて、最後に「お前は不人情で〜」（216頁）は強く鋭く。

後半の吉の愚痴は段々自分に向けられてゆきます。特に「何だ傘屋の油ひきなんぞ〜」（216頁）は〔上の章〕の中でお京に言うことば「傘屋の油ひきが一番好いのだ」に対応していて、この辺にも一葉の周当な計算が感じられるわけですが、ここでの吉三は真に苦々しく自己嫌悪的に吐き出すような言い方にな

〈218ページへ続く〉

原文

のだけれど、お老婆さんは中風で死ぬし、お絹さんはお嫁に行くを厭やがつて裏の井戸へ飛込んで仕舞つた、お前は不人情で己れを捨てゝ行し、最う何も彼もつまらない、何だ傘屋の油ひきなんぞ、百人前の仕事をしたからとつて褒美の一つも出やうでは無し朝から晩まで一寸法師の言れつゞけで、夫れだからと言つて一生立つても此背が延びやうかい、待てば甘露といふけれど己れなんぞは一日一日厭やな事ばかり降つて来やがる、一昨日半次の奴と大喧嘩をやつて、お京さんばかりは人の妾に出るやうな腸の腐つたのでは無いと威張つたに、五日とたゝずに兜をぬがなければ成らないのであらう、そんな嘘つ吐きの、ごまかしの、欲の深いお前さんを姉さん同様に思つて居たが口惜しい、最うお京さんお前には逢はないよ、何うしてもお前には逢はないよ、長々御世話さま此処からお礼を申ます、人をつけ、最う誰れの事も当てにする物か、左様なら、と言つて立あがり沓ぬき（「き」→「ぎ」）の草履下駄足に引かくるを、

〈220ページへ続く〉

解説

るでしょう。「そんな嘘つ吐きの〜」（216頁）からは次第にエスカレートして、お京に言い掛けると「人をつけ」（217頁）から後は声もヒステリックに高く強くなって、そのまま飛び出そうとする勢いが込められなければなりません。これはその後のしんみりした別れを浮き出させるためにもぜひ必要でしょう。

〈221ページへ続く〉

●コラム●

一葉作品の「わらべ唄」

作品「わかれ道」の中に登場するわらべ唄「まわりのまわりの小仏」。遊戯の「かごめかごめ」に似ているという。

一葉は東京生まれだから、よく知っていたわらべ唄は「かごめかごめ」と思われる（しかし、現代の「かごめかごめ」が成立した時期がはっきりしていないため、正確にはわからない）。「まわりのまわりの小仏」は別に知っていたものか不明だが、関西に「中の中の小ぼんさん、何で背が低い～」というわらべ唄があり、「中の中の小ぼんさん」の部分は「まわりのまわりの小仏」と歌われることもあるそうだ。恐らくこれを知っていた一葉が、その「小仏」を使ったものと思われる。

わらべ唄「かごめかごめ」は、中に目をふさいでうずくまった子供のまわりを多勢の子供が囲んではやす遊びだから、「小仏」は背の低い吉三をからかって言ったものであろう。

原文

(50) あれ吉ちゃん夫(そ)れはお前勘違(まへかんちが)ひだ、何も私が此処を離れるとてお前を見捨てる事はしない、私(わたし)は本当(ほんと)に兄弟とばかり思ふのだもの其様(そん)な愛想(あいそ)づかしは酷(ひど)からう、と後(うしろ)から羽(は)がひじめに抱き止めて、気の早い子だねとお京の諭(さと)せば、

(51) そんならお妾(めかけ)に行くを廃(や)めにしなさるかと振かへられて、

〈222ページへ続く〉

解説

(50) ここでお京は思わず立ち上って、吉の傍へ足早に足を運びます。「夫れはお前〜」からは少し息を弾ませて、「気の早い子だね」で、やさしく強く吉の背中を羽がいじめにしながらのせりふであることを表わします。

(51) 背中にお京の肌の温かさを感じた吉が思わず気がゆるんで言うことばですから、打算的なかけ引きの感じにならないように。

〈223ページへ続く〉

原文

(52) 誰れも願ふて行く処では無いけれど、私は何うしても斯うと決心して居るのだから夫れは折角だけれど聞かれないよと言ふに、

(53) 吉は涕の目に見つめて、お京さん後生だから此肩の手を放してお呉んなさい。

解説

52 ここでお京はぐっとつまります。その「間」がぜひとも必要。

53 お京の苦しげなことばを聞いて、吉三は納得し、苦渋の決断をして静かに別れようと思うのです。振り切って行きたくはないので、涙ぐみながらこのことばを発するわけです。一幕劇のすばらしい幕切れです。
でも決して感傷的にはならないように注意してください。それよりも後ろのお京に顔をねじ向けて言う吉三の姿を出すように工夫しましょう。ここが語り手としても最後の見せ場であることをお忘れなく。

にもイントネーションは登場する。また広く文学の世界においても、純文学・大衆小説・詩歌・児童文学などあらゆるジャンルにおいてイントネーションは登場するのである。

音表者はこの多様な素材に常に適応してゆかなければならないが、その主役はあくまでもイントネーションである。一口にイントネーションと言っても、クールに客観的に乾いた読みを必要とするものはそれにふさわしく一語読みを基本として、反対に、主観的に情緒的な読みを必要とする部分にはメリハリ読みに切り替えて、骨組みとなるアクセントとは巧みに折り合いをつけ、印象を際立てたい場合にはプロミネンスの力をも借りて読み進めて頂きたい。

まさにイントネーションこそは音表の中心的な存在である。アクセントが例えなまっていたとしても（同音異義語が狂った結果、誤って伝わってしまうということさえなければ）、あまり気にせずに、文やせりふの内容が正しく伝わるように読解を深くすることの方が大切だと考えて、気持ちを入れて音表すべきである。そうすれば必ず正しいイントネーションによって文やせりふの内容が聴き手に伝わる筈だと私は考えている。

この文は、論理的な内容を、できるだけ分かりやすく書いた「説明文」である。手近な材料として、まずこの文を、「一語読み」を基本として音表してみてほしい。では私はこの辺で引きさがることにいたしましょう。ごきげんよう、さようなら。

【「付録」の最初のページは p. 247 です。】

③性格との闘い

あえて“闘い”ということばを使いたいほど、これが一番難しい。音表の明暗はその表現者それぞれの性格から来るもので、それがその人にとっては一番自然だからである。誰も自分の性格は意外に自覚していない。それを急に明るく読め、暗く読めと言われても、ただ戸惑うばかりだと思うが、これはその作品なり文なりを深く読み取ることによって解決する。これは「くせ読み」の場合も同様であるが、私はその一歩手前の手助けとして、「一語読み」「二音上げ」の指導を考えたというわけである。二つとも形から入る考え方で本来のイントネーションの生まれる心の動きには矛盾するようだが、歌舞伎役者が先輩の型を学ぶことによって役の性根（心）を捉えるように、「形」をヒントにして「心」をさぐる手立てにしたいと考えている。

最後に、“イントネーション”のになう大事な役目について述べておこう。前に“音声表現は「アクセント」「イントネーション」「プロミネンス」の重ね写真である”と定義付けた時に“アクセント”がその骨組みを成すものであると述べたが、その骨組みを活かしながら、その文や句の内容をしっかり伝える流れを形作るものが“イントネーション”であることを加えて強調しておきたい。

この本ではたまたま一葉の古典的な作品に合わせてイントネーションを解説してきたので、「イントネーション＝情緒的抑揚」というような誤解を生んだかもしれないがが、決してそんなことはない。教科書の説明文にも視覚障碍者のための医学書

(「の」や「を」) を際立てることもあるので、こんなにも例が多くなるのである。

これはあくまでも意志によることばの音調だが、これに心の動きが重なることによって、初めて生きたことばとなる。

このことばが、例えば「あなたは今、何を勉強しているか」という問いの答えだとすれば、③または④の言い方になるだろうし、或いはまた「ちゃんと勉強しているか」と聞かれて答える場合には⑦の言い方になり、更にその語尾は「確かに勉強していますョ」の意志を込めて、〔シテイ『マ˥ス〕〔シテイマ『ス〕と強くもなるわけである。

● ● ●

最後にこれまで述べてきた要旨をまとめておきたいと思う。

●イントネーションとは、心の動きから現われる音声の高低を言う。

●その自然な高低変化を妨げるものとして、

①アクセント

これはむしろイントネーションの方が、基本となるアクセントを妨げるといった方が良いかもしれないが、いずれにしろ対立的な位置にある。音表の際はその場所における相関関係をよく考えて調和させてゆくことが必要。

②くせ読み

幼少時代の「しゃくり調子」が出た場合はまず「一語読み」に切り替え、その文が情緒を必要とする場合にはその意識に切り替えることによって正しい「メリハリ読み」を心がけること。

もなる（「強調」ということばは相応しくないというのはこの理由による。おなじみの次の文章で解明してみよう。

「私は今アクセントの勉強をしています」

今、この文の際立ての部分を後ろへ移してゆくと（際立ての部分は〔『』で表記〕、

①ワ『タシワイ˥マ「ア˥クセントノベンキョーオシテイマ˥ス（他の人に対する際立て）

②ワ「タシ『ワ˥イ˥マ「ア˥クセントノベンキョーオシテイマ˥ス（誰が何と言おうと、という自分の存在の際立て）

③ワ「タシワイ˥マ『ア˥クセントノベンキョーオシテイマ˥ス（他のものではないという意味を更に際立て）

④ワ「タシワイ˥マ「ア˥クセント『ノ˥ベンキョーオシテイマ˥ス（他のものではなく、意味を更に際立て）

⑤ワ「タシワイ˥マ「ア˥クセントノベ『ンキョ―オシテイマ˥ス（アクセントの「勉強」を際立て）

⑥ワ「タシワイ˥マ「ア˥クセントノベンキョー『オ˥シテイマ˥ス（「勉強を」を更に際立て）

⑦ワ「タシワイ˥マ「ア˥クセントノベンキョーオシ『テイマ˥ス（はっきりした主張を込めた際立て）

際立ての部分をはっきりさせるために一カ所だけにしたが、時にはその部分が二つ以上重なる場合もある。

プロミネンスの場合は、その一つ一つの文節乃至はその助詞

いが、その音表者の内向的な性格によるところが影響している場合も、決して少なくはないだろう。私はそれを矯正するために「一語読み」「二音上げ」の提唱を始めたのだが、それと並行して、湿った、情緒を必要とする場合には「メリハリ読み」に切り替えるという、自在に適応した音声表現もまた必要だと言えよう。

◆イントネーションとプロミネンス

イントネーションとからむ音調の第二の要素に前にも触れた「プロミネンス」がある。少し説明したいと思う。これはこれまで「強調」「卓越」「卓立」などと訳されてきたが、「強調」は“高い調子”という誤解を生む恐れがあり、「卓越」「卓立」はことばが難しすぎる。これをやさしく言い換えた「際立て」が私はふさわしいと思う。学苑の顧問を亡くなるまで勤めて下さった劇作家・演出家・音声教育者の田中千禾夫氏はこれを「(ことばの) 濃度」とよばれたが、これは名言だと思う。その部分が目立って高く、強く発音されるばかりではなく、ほんのわずか際立つこともあるからである。

イントネーションが心の動きによってある部分が高まる(時には強まる)ことがあるのは前に述べたが、プロミネンスの場合はあくまでもそれが意志の力によるものであるということで、つまりそこをはっきりと相手に伝えたいという意図が働いている結果その部分が際立つのである。だから、いつも強く・高くなるばかりとは限らず、反対に声が低く・弱くなることに

オ「レーオモ『オシ「マ˥ス。ヒ「トオ『ツ˥ケ、「モ˥ーダ「レノコト˥モア「テニスルモ『ノ˥カ、サ『ヨーナ『ラ〕

この場合は前の例とは違い、吉の心には恨みのほかに怒りも込められているので、〔『〕の部分には高さのほかに強さも加わることになる。

例えば、〔ウ『ソッ˥ツキノ〕〔ゴ『マカシノ〕〔ヨ「クノフ『カ˥イ〕〔ク「チオ『シ˥ー〕〔ア『ワ˥ナイヨ〕〔ド˥ーシ『テ˥モ〕〔オ「セワサ『マ〕〔オ「レーオモ『オシ「マ˥ス〕〔ヒ「トオ『ツ˥ケ〕〔ア「テニスルモ『ノ˥カ〕〔サ『ヨーナ『ラ〕などで、特に語尾の〔『〕〔˥〕ではさまれている部分の音は強さをも伴うことになると思ってほしい。

ところで、この二つの例は人物のキャラクターや、その人物の置かれたシチュエーションによるところが大きいのだが、それとは違って、イントネーションというものは、しばしばその音表者の性格に左右されることになる。私がいつも思うことは、普通の（乾いた、くせのない、客観的な）読みをする人がいかに少ないかということである。ほとんどが情緒的な感じになってしまい、例えば明るい童話を語るような場合でも湿った暗い感じになってしまうことが多い。

もともと日本人はその民族性から言っても情緒を好むところがあって、古来から七五調の詩歌を口ずさみ、楽曲にしても、長調よりも短調を、ポピュラーよりも演歌を好む人が多くを占めているという現実があるから、これは当然の結果かもしれな

〕ニ「アッ〕タコト〕モ『ナ〕イ〕

イントネーションはもともとゆれるものなので、長ぜりふになると、高さが上下にずれることもあるから、いつもこのようにはゆかないが、大体はこうなると思ってほしい。これは16歳の少年のやるせない心のうちを吐露したものだから、全体にセンチメンタルな音調が漂っているが、これを「感傷的メロディー」と言って、このように、語尾がともすればはね上がる「メリハリ調」となる。

もう一つ例を挙げておくと、これは悲しみと違って相手に皮肉な心を噴き出させたニヒルな言い方の場合である。同じ人物（吉三）が、純潔だと信頼していたお京が妾になるのを知って、裏切られた思いで精一ぱいの恨みをぶつける言葉。

“～そんな嘘っ吐きの、ごまかしの、欲の深いお前さんを姉さん同様に思っていたが口惜しい。もうお京さん、お前には逢はないよ、何うしてもお前には逢はないよ。長々お世話さま此処からお礼を申ます。人をつけ、もう誰れの事も当てにする物か、左様なら”

〔～ソ「ンナウ『ソッ〕ツキノ、ゴ『マカシノ、ヨ「クノフ『カ〕イオ『マエサンオ「ネ〕ーサンドーヨーニオモッ〕テイ『タ〕ノカ゜ク「チオ『シ〕―。モ〕ーオ「キョ〕―サン、オ「マエニ〕ワア『ワ〕ナイヨ、ド〕―シ『テ〕モオ「マエニ〕ワア『ワ〕ナイ『ヨ。ナ『ガナ〕ガオ「セワサ『マコ『コカラメリハリ読みでは、すべて後ろが高まっているが、前の方ではちゃんとアクセントの高低関係を残している。このアクセントをも包み込んだ音声の形が、単に情に流されたイントネーションとは違い、音声表現意識を持った「メリハリ読み」なのである。

以上、「一語読み」～「メリハリ読み」と文の音表におけるイントネーションについて述べてきたが、イントネーションがその真価を発揮するのは何といっても会話においてである。最後に、この本の「わかれ道」から例を挙げることにしよう。

町内で暴れものと爪はじきされている傘屋のでっちの少年吉三が、自分にやさしくしてくれる若い仕立物師のお京に己の身の上を愚痴る場面から抜いてみる。

“何処からか斯うお前のやうな人が己れの真身の姉さんだとか言って出て来たら何んなに嬉しいか、首っ玉へ噛り付いて己れはそれ限り往生しても喜ぶのだが、本当に己れは木の股からでも出て来たのか、遂いしか親類らしい者に逢った事も無い”

これを音声表記してみると、

〔ド˥コカラ˥カコ「オオ「マエノヨ˥—ナヒ『ト˥ガ゚オ「レノ「シ˥ンミノアネサンダ˥トカイッ「テ『デ˥テキタ˥ラ「ド˥ンナニウ『レシ˥—カ、ク「ビッタマエカ『ジ˥リツ˥イテオ「レワソ「レキ゚リオ˥—ジョーシテ˥モヨ『ロコ˥ブノダカ゚、ホ「ントーニオ『レワ「キ˥ノマタ˥カラ˥デ˥モ『デ˥テキ『タ˥ノカ、『ツ˥イシカシ「ンルイラシ˥—モ『ノは、その上がる音の前に〔『〕を入れて表記（以下この二重カギを使用）。

では、「雪の日」の一節をこの表記によって記してみると、

〔ミ「ワタス『カ˥ギリ「チ˥ワ「ギ˥ンサオシ『キテ、モ「オ˥ヤ「コ˥チョーノハ「ソデカ『ロク、カ「レキモ「ハ˥ルノ「リッ˥カノナ『ガメ˥オ「ヨ˥ニア˥ルヒ『ト˥ワウ「タ˥ニ˥モ『ヨ˥ミカ「ラウタニ˥モツ『ク˥リツ「キ˥ハ「ナ˥ニナ「ラベテタ『タユラ˥ンウ「ラヤ『マ˥シサヨ〕

これを分析すると、一語読みでは〔ミ「ワタスカ˥ギリ〕となるところを、〔ミ「ワタス『カ˥ギリ〕に、〔チ˥ワ「ギ˥ンサオシキテ〕が〔～「ギ˥ンサオシ『キテ〕と後ろがはね上がっている。以下その対照を表にしてみる。

一語読み	モ「オ˥ヤ「コ˥チョーノハ「ソデカロク
メリハリ読み	モ「オ˥ヤ「コ˥チョーノハ「ソデカ『ロク
一語読み	カ「レキモ「ハ˥ルノ「リッ˥カノナガメ˥オ
メリハリ読み	カ「レキモ「ハ˥ルノ「リッ˥カノナ『ガメ˥オ
一語読み	ヨ˥ニア˥ルヒト˥ワウ「タ˥ニ˥モヨ˥ミカ「ラウタニ˥モツク˥リ
メリハリ読み	ヨ˥ニア˥ルヒ『ト˥ワウ「タ˥ニ˥モ『ヨ˥ミカ「ラウタニ˥モツ『ク˥リ
一語読み	ツ「キ˥ハナ˥ニナラベテタタユラ˥ンウラヤマ˥シサヨ
メリハリ読み	ツ「キ˥ハ「ナ˥ニナ「ラベテタ『タユラ˥ンウ「ラヤ『マ˥シサヨ

②〔シ「ラザ˥—イッ「テキカセヤショ˥—〕や〔～イッテキカセヤショ˥—〕
となったら、歌舞伎のせりふの格調はなくなってしまう。

今、この本の「雪の日」を例にとると、冒頭の一節の“見渡すかぎり地は銀沙を敷きて、舞ふや胡蝶の羽そで軽く、枯木も春の六花の眺めを、世にある人は歌にも詠み詩にも作り、月花に並べて称ゆらん浦山しさよ”をメリハリのイントネーションで表わしたいと思うが、その前に、例文の中でしばしば用いられる音声表記について説明しておくことにしよう。

音声表記は昔から「音声学会」などで用いられてきた表記法だが、次のような決まりがある。

●表記にはカタカナを用いる
●助詞「は」「へ」「を」などは、すべて発音通り〔ワ〕〔エ〕〔オ〕と表記する
●助詞「が」は、原則として〔ガ゚〕と、鼻濁音（通鼻音）記号で表記する
●〔ガギグゲゴ〕〔ギャギュギョ〕が、単語・文節の二番目以下に現われた場合は鼻濁音（通鼻音）となるため、これを〔ガ゚ギ゚グ゚ゲ゚ゴ゚〕〔ギ゚ャギ゚ュギ゚ョ〕と表記
●文節または文において、ある音（拍）の次の音（拍）が上がる場合には〔「〕を、下がる場合には〔˥〕をもって表記
●文節または文において、ある語または句を際立てたい場合

調などではこれを「めりかり」などと言っているようだが、これが音表についても、一般的に使われている。

これはあくまでも外に現われた音調を言うが、私はこれを音表に結びつけて、先ほどの「しゃくり調子」とは違い、表現的にその部分（主に文や句の後ろの部分）が高まる読みを、あえて「メリハリ読み」と名付けることにした。

まず、これが頻繁に現われるのは古くは「謡曲」だが、例としてここに挙げたいのは、それよりもっと古い「能楽」の中の「狂言」のせりふである。狂言は教科書にも掲載されているからご存じと思うが、必ず初めに登場人物が名乗りということを行う。つまり自己紹介だが、それはこんなことばで始まる。

「これは、このあたりのものでござる」

今これをイントネーションで表わすと、

①〔コ「レ˥ワコ「ノア˥タリノモ「ノ˥デゴ「ザ˥ル〕

となり、決して

②〔コ「レワコ「ノア˥タリノモノ˥デゴザ˥ル〕

とはならない。

つまり一語読みの場合のように下降調にはならないのである。

もう一つ歌舞伎のせりふを挙げてみよう。歌舞伎のせりふはたいてい七五調を主とした音数律の連なりから成り立っている。

例えば、どなたもご存じの「弁天小僧」のせりふ「知らざあ言ってきかせやしょう」のイントネーションは、

①〔シ「ラ「ザ˥ア˥イッ「テキ「カセ「ヤ「ショ˥ー〕

であって、もしこれが一語読みで

において、この「二音上げ」を重視するのもこの理由による。つまり文節の頭の方を高く読むことによって文の区切りをはっきりと表わすことになるので、これが音表の上で、「間」とともに重要な「転調」を生み出す大切な要素となるのである。

この、文が高く始まるという特長は、終わりに従って低く下降してゆくという自然なイントネーションを生み出すことになるのだが、そうならない場合ももちろんある。それは後ろに否定語が続く場合で、例えば先ほどの「本を読む」が「〜読まない」となった場合には、当然そこには否定する気持ちが込められて〔ヨ「マ˥ナイ〕となる。

ところが、これが問いかけとなったらどうかというと、その場合は語尾の〔イ〕がはね上がって〔ヨ「マ˥ナ「イ〕となるが、これでは誘う意味と同じになってしまうので、絶対にという場合は終わりの〔イ〕に力をこめて〔ヨ「マナ「イ〕と発音することになる。

イントネーションは、その文の大事な部分を際立てるプロミネンスの役割をも兼ねていると言える。

③　メリハリ読み

「一語読み」「二音上げ（読み）」と同じく、これも私が命名したものだが、「めりはり」ということばは昔からあり、「めりはりのある生活」などと使うが、もともとは、日本にだけある昔からの音楽用語である。その起源は古く「謡曲」の節まわしからと言われているが、それが「長唄」などにも及び、尺八の音

「一語読み」の意識は、これを本来の正型によび戻す力がある。もともと「木を切る」〔キ˥オ˥キ˥ル〕、「草を刈る」〔ク˥サ˥オカ˥ル〕、「畑を耕す」〔ハ˥タケオタ˥ガヤ˥ス〕などということば調子は、別にその部分を際立てようという気もなく無意識に持ち上がっただけなのだから、これに一語意識を働かせて〔キ˥オキ˥ル〕〔ク˥サ˥オカル〕〔ハ˥タケオタガヤ˥ス〕と修正することはそんなに難しいことではない。

②　二音上げ（読み）

これもそんなに難しくはない。我々はすでに「アクセント辞典」などで、この二音上げの記号を目にしているからだ。いま、平板・中高・尾高の名詞アクセントの記号を見ると〔イス〕〔ツクエ〕〔ガラスマド〕〔ドーグ〕のように高く発音される部分が２拍目の上部に線引きされている。(〔ドーグ〕のような尾高名詞の場合は線の後ろにカギが付いているが、これは次に続く拍（助詞・助動詞）が下がって付くことを示している（本書ではこの高低関係を〔˥〕〔˥〕で示している)。

つまり、二番目の拍（音）から高くなる、二番目から音が上がる。ゆえに「二音上げ」というわけである。これはわが国の東型アクセント〔共通語アクセント〕の特長で、このような形は必ず語頭に現われる。かつて、わが国の国語学の生みの親とも言える橋本信吉博士は、この、頭が低く二拍目から高くなるというアクセントの特長を捉えて、これが文節の始まりを決定するアクセントの大切な役目と規定された。今、私が一語読み

◆イントネーションとアクセント

先ほどイントネーションは語尾がはね上がると言ったが、これは「しゃくり調子」とは違う。「しゃくり調子」とは心の動きとは関係なく生まれるもので、意味とは関係ない一つの型を言う。小学生の作文の朗読で、「朝起きて顔を洗いました。それから歯をみがきました」というのを、〔ア⏋サ⌈オ⏋キテカ⌈オオア⌈ライマ⏋シタ。ソ⌈レカラ⌈ハ⏋オミ⌈ガ゚キマ⏋シタ〕というふうに発音するのを見かけることがある。〔〜アライ⌈マ⏋シタ〕〔〜ミガ゚キ⌈マ⏋シタ〕というように、語尾の「ました」を高く強く発音することもある。これは緊張から来る力みの結果で自然な現象と思われるが、困るのはそれが大人になってからの読みに残って現われることで、これを「しゃくり調子」と言う。私はこれを「くせ読み」とよんで、なんとか矯正しようとするのだが、子供の頃に身に付いてしまったくせはなかなかとれない。そこで思いついたのが「一語読み」と「二音上げ（読み）」という二つのキーワードである。

① 一語読み

このことばの定義はそんなに難しくない。つまり、“一つの事柄は一つにまとめた形で音表する”ということである。

今「本を読む」ということばを例にして考えてみると、〔ホ⏋ンオヨ⏋ム〕が正型だが、もしこれが〔ホ⏋ンオ⌈ヨ⏋ム〕と「読む」がはねあがった場合、これをしゃくり調子と言い、イントネーションが狂ったと言うのである。

ョン”に負けたということになる。このような現象はほかにもいろいろと見られる。その理由は、そのことばの中にいかに心が込められているかによると思われる。

もう一つ例を挙げてみると、デパートや商店などの店員の声かけのことばに「毎度ありがとうございます」がある。このイントネーションは〔マ「イドア「リ7ガトーゴザイマ7ス〕と下降調を辿っている。ところで今この〔ア「リ7ガトーゴザイマ7ス〕をこの店員が本当に相手に感謝を込めて言ったとしたらどうかと言えば、なんと〔ア「リ7ガートーゴ「ザイマ7ス〕、或いは〔〜ゴ「ザイマ「ス〕となるのである。このように、心が深く込められるにつれて、その高さが後ろに移ってゆく、これもイントネーションの特長と言えよう。

そしてその場合、大切なことは、その変化は語尾にのみ現われるということで、この場合なら〔ア「リ7ガトー〕という頭の部分は変わらずに語尾の〔ゴ「ザイマ7ス〕の部分のみが高くはね上がる。時にはもう少し前から次第に高まってゆくこともあるが、その場合でも基本となるアクセントはちゃんと生きている。これが初めに述べたアクセントとの重ね写真ということなのだが、では、私たちの音声表現〔音表〕にはこの二つがどのように混ざり合っているか、いや混ざり合わせねばならないかを考えてゆきたいと思う。

（註…〔ア「リ7ガトー〕の〔ガ〕は、ふつうは〔ガ〕だが、この場合は鼻濁音（通鼻音）となるので、半濁音の記号〔゜〕をつけて〔カ゚〕で表わす。）

“感情の動きによって上昇したり下降したりする音声の姿”ということになり、この「感情の動き」というところが「アクセント」とも「プロミネンス」とも違ったところなので、東北などのアクセントのない地域（無アクセント地域）などでもイントネーションだけは存在し、石川啄木や宮沢賢治を生んだ岩手のことばなどは、その音楽的なひびきが母国語を思い出させると言って、フランス人などを喜ばせたりもするのである。

このように、もともとアクセントのない地域では、イントネーションのみの音調となるのは当然の結果だが、アクセントが基本となっている東京を中心とした地域で行われている東京方言においても、イントネーションによってアクセントが変形させられることはしばしば見られる。

それは質問形の時などに現われるが、例えば今「本を読みたい」ということばを考えてみると、この言葉の正型（ふつうの形）は〔ホ˥ンオヨミタ˥イ〕となる。「読む」は頭高の動詞なので、「～したい」という願いを表わす形は〔ヨ「ミタ˥イ〕となる。これをアクセント活用と言う。

ところが今これを問いかけの形にしてみると、〔ホ˥ンオヨミタ「イ〕と〔タ˥イ〕が何と逆の形〔タ「イ〕となるのである。これが、語尾が平板型の場合、例えば「～したい」〔シタイ〕の場合でも〔シタ「イ〕というように〔イ〕がはね上がる。これは勝ち負けで言えば、“イントネーションがアクセントに勝った”ということになるわけで、表現を変えて言えば、形を基本とする“アクセント”が心を源とする“イントネーシを受けるが、実は「転成名詞」（動詞が名詞化したもの）を入れても 150 ぐらいしかない。

アクセントについてはまだまだ述べたいこともあるが、今ここでお話しすべきはイントネーションなので、この辺でその方に話を移したいと思う。尚アクセントについては拙著『共通語アクセント読本』上・下（三恵出版）をお読み頂ければ幸いである（絶版につき、学苑へ直接お申し込み下さい）。

2　イントネーションとは

“イントネーション”ということばは学生時代、英語の学習の時にお聞きになっていることだろう。これが日本の音声表現においては、「抑揚」などと言われているようだが、これはもともと西洋のソネット（14 行詩）などの朗誦の場合に現われる音調について用いられたことばで、「抑格」（おさえた低い部分）、「揚格」（高く上がった部分）をまとめて言ったことばが起源と言われている。

日本には古来「謡曲」などに用いられる「めりはり」ということばがある。「めり」は「減る」の名詞形で、「気が滅入る」などと使う「引込む」という意味、また「はり」は反対に「張る」、「でしゃ張る」などのように「前に出る」という意味で、調子が引込んだり出たりする音調を言う。「抑揚」も「めりはり」も、その源になっているものは心の動きで、これが会話や音声表現の場合には、え、▷を〔エ〕と考えると、〔ハ˥エ〕〔ハ「エ〕となり、語にすれば「歯へ」「葉へ」となるのである。

このように同じ音を持ちながら、アクセントを違えることによって二つ以上のことばに分かれる、その語の各々を「同音異義語」（ホモニム）と言う。このような組み合わせは、「歯（刃）」（頭高）と「葉」（平板）のほかにも、1拍語だけでも「木」（頭）と「気」（平）、「地」（頭）と「血」（平）、「根」（頭）と「音」（平）など50組もある。

これら同音異義語の組み合わせは名詞だけでなく動詞にも「切る」（頭）・「着る」（平）、「帰る」（頭）・「変える」（平）、「掛ける」（中高）・「欠ける」（平）。また形容詞にも「暑い」「熱い」（中高）・「厚い」（平）〔形容詞はこれ一組〕などがある。拍数が増えてもこういう現象は見られるが、数は減る。

さて、ここでアクセントの型の種類をまとめておくと、

①頭高型　　○˥○…▷…（付属語の拍数は最高4拍まで）
②中高型　　○「○…˥○…▷…
③尾高型　　○「○…˥▷…（名詞にしか存在せず）
④平板型　　○「○…▷…

アクセントの型はこの四点だが、これを便宜上「頭高型」「中高型」「尾高型」の三つをまとめて「起伏式」、別に「平板型」を「平板式」と、二つに分けている。但し、「尾高型」は名詞にしか見られないので、「尾高名詞」とよぶこともある。よく「アクセント辞典」などでは、型の分類を名詞中心にしているので、この「尾高型」も他の型と同じように数の多い印象

次に１拍目は低く始まり、２拍目が高く、或いは２拍目から高い拍が幾つか続き、終わりの１拍或いはそれ以上が低く続いて終わるものがあり、これを「中高型」と言う。

〔○「○˥○…〕、〔○「○○˥○…〕、〔○「○○○˥○…〕

「尾高型」は２拍目以降高く、付属語で下がる（下記参照）。

更にもう一つ。１拍目は低く、２拍目は原則として高く、その高さが終わりまで続く型で、これを「平板型」と言う。

〔○「○〕、〔○「○○〕、〔○「○○○〕

これらはいずれも名詞や動詞などの語中に現われた高低関係で単純なものだが、文節アクセントとなると後ろの拍は付属語（助詞・助動詞）ということになるので、ちょっとややこしい。

頭高　○˥▷…　○˥○▷…　○˥○○▷…

　○˥○○○▷…（▷は付属語を示す。以下、同）

中高　○「○˥○▷…　○「○○˥○▷…

　○「○○○˥○○▷…

尾高　○「○˥▷…　○「○○˥▷…　○「○○○˥▷…

　○「○○○○˥▷…

平板　○「○▷…　○「○○▷…　○「○○○▷…

　○「○○○○▷…

ここで説明しておきたいことがある。頭高〔○˥▷〕と平板〔○「▷〕についてで、これはいずれも全体としては２拍だが、語中心に言えば１拍で、例えば今この○を〔ハ〕と考

③ 文アクセント

ワ「タシワイ˥マ「ア˥クセントノベンキョーオシテイマ˥ス

この例文は前に挙げた「私は今〜」の例文のうちイントネーションの例文と同じ内容なので、文アクセントの例文として使う矛盾を感じられるかもしれないが、実はこれをイントネーションと考える方も学者の中にいるほど、この二つは昔から議論の分かれるところなのである。

◆アクセントの型の種類

日本語のアクセントは、正式には「日本共通語アクセント」と言う。「共通語」は、以前は「標準語」と言っていたが、戦後「全国共通語」略して「共通語」とよばれるようになった。まだ日本には「標準」という完成されたことばはないという考えから、「共通」と改められたのだと思われる。

さて、アクセントを定義すると、“語中、或いは語相互間に現われる高低関係”という難しいことになるが、やさしく言えば“音（拍）と音（拍）との高低関係”ということになろう。語中にしろ、文節中にしろ、或いはまた文節と文節が結びついた連文節・文の中においても、結局は音（拍）相互の高低関係ということになる。

その一番小さい単位は２拍から見られる。

まず、１拍目が高く２拍目から低くなるもの。これを「頭高型」と言う。〔○˥○…〕（〔…〕は〔○〕が続くこと）

ンがいかにかぶさり、アクセントの形がプロミネンスによって、時に助長され、時には侵されるということをはっきりと見極め、解明してゆくべきであろう。

では、アクセントの実態から見てゆくことにしよう。

◆アクセントの種類

アクセントは「語アクセント」「文節アクセント」「文アクセント」と三つの捉え方がある。

① 語アクセント

語の中に現われる高低関係で、名詞・動詞・形容詞・形容動詞（語幹）などの自立語や、「しかし」「或いは」などの接続詞、「たちまち」「はっきり」などの副詞、「あらゆる」などの連体詞など、あらゆる品詞に現われる。

② 文節アクセント

前にあげた例文の「私は今アクセントの勉強をしています」の中の「私は」「アクセントの」「勉強を」のように、名詞（私、アクセント、勉強）＋助詞（は・の・を）の形を持っているものを「文節」と言う。このほかに「歩くのは」「青いです」などのように「動詞＋助詞」「形容詞＋助動詞」のような形もある。名詞などの自立語に対して、「は」「です」などの助詞、助動詞を付属語と言うが、文はこの自立語と付属語が交互に連なって出来ており、アクセントはそれをしっかり支えているものと言えよう。

それが繋がった形となり、一つの流れの中に置かれてしまっていることがわかる。更に終わりの方では、〔ア1クセントノベンキョーオシテイマ1ス〕と下降してゆく。二つの文節（連文節）がその高低関係を保ったまま下がってゆく現象を「二段下がり」と言うが、イントネーションにおいてはこのような現象は「二段」だけではなく、三段も四段・五段も、時には六段下がりさえもしばしば見られる現象なのである。

ところで、今私たちの会話を振り返ってみると、共通語においては、私たちは実にこの流動的な下降調をもって会話しあっていることがわかる。私たちのコミュニケーションは、この流れるようなイントネーションによって、（時にはプロミネンスも混ぜ合わせながら）展開されていると言えるわけなのだが、その構成要素の一つ一つである文節や語がアクセントを持っているということになる。

それにつけて今思い出されるのが、私がかつて1970年代に所属していた「日本音声学会」会長の大西雅雄博士の言葉である。曰く、“我々の言語行動に常に現われる音声の相（姿）は、アクセント、イントネーション、プロミネンスの重ね写真である!!”

私は今この言葉の中の「言語行動」を「音声表現」に置き換えさせて頂いて、“音声表現の中に現われる音声の姿はアクセントとイントネーション、そしてプロミネンスの重ね写真である”と言いたい。更に私たち表現者は、その写真を一枚ずつはがしていって、アクセントという骨組みの上にイントネーショ

音声表現の高・低（時に強弱）関係による三要素比較

音声表現三要素	文中の現われ方	存在的意義	現われる形
アクセント	部分的	地域による区分有	高・低による
イントネーション	流動化	地域による区分無	高・低を主に
プロミネンス	部分的	意図的	高・低 時に強弱

1　アクセントとは

同じ音の高低と言っても、イントネーションが文の流れの中に現われるのと違い、アクセントは短い文節を単位とした部分部分に現われる。例を挙げてみると、

「私は今アクセントの勉強をしています」

①アクセントでは

ワ「タシワ　イ٦マ　ア٦クセントノ　ベ「ンキョ—オ　シ「テイマ٦ス

②イントネーションでは

ワ「タシワイ٦マ「ア٦クセントノベンキョーオシテイマ٦ス

（註…音声表記ではすべて発音通りカタカナで表わし、音の高低は〔「〕〔٦〕で表わすこととする。）

アクセントの方は、〔ワ「タシワ〕〔イ٦マ〕のように五つの文節の中に各々高低関係が現われるが、イントネーションでは

付録

【“イントネーション”と“アクセント”】

私がこの60年、音声表現の指導に携わってきた間、常に悩まされてきたのは、読みに重なって現われる“イントネーション”と“アクセント”を切り離して、各々の役割とその意味をいかに理解させるかということであった。

20年ほど前から“イントネーション”をよりはっきりさせるために「一語読み」「二音上げ」なることばを使い始めたのも、これを形の上から矯正してゆこうという苦心の現われだが、今回はこの“イントネーション”なるものを“アクセント”と比べながら考えてみたい。

ところで、音声表現（以下「音表」と略す）の大事な要素にはもう一つ“プロミネンス”があるが、これは元来「卓越」「卓立」という意味を持ち、音表的には“目立たせる”“際立てる”などと用いるが、「強調」と言い換えるのは、音調的に強さだけに片寄った表現と誤解されがちだから避けるべきで、言うならば、本学苑の顧問であられた田中千禾夫氏の「(ことばの）濃度」がふさわしいと思われる。

いずれにしろここではあくまでも“イントネーション”を解明するために、高低を中心に考えてゆきたいので、“プロミネンス”はその中には入れぬことにする。しかしこの三者の違いをはっきりさせるために、その違いを図示しておく（右上)。

では、“アクセント”の違いから考えてゆきましょう。

●コラム●

一葉を支えた妹、邦子

一葉は次女で、上に兄と姉がいた。その下に更に妹が生まれる。これが「邦子」である。邦子は、兄と父を亡くし一家を支えて行かなければならなくなった姉の一葉を助けて、その生涯を捧げた。

一葉が桃水と決別し心機一転、新しい文学の道を模索しつつ下谷の龍泉寺町に駄菓子屋を開業してから、邦子の苦労は始まった。姉は専ら仕入れに廻り、彼女は終日店を守った。この頃の見聞をもとに描かれた一葉の名作「たけくらべ」に〝筆やの女房〟として登場している。更に、名声を拍した一葉が上田敏ら若い文学者に慕われ、仕事場がさながら新進気鋭の文学サロンと化すや姉と共に接待に当たり、一葉が志半ばにして病床に臥すや介護、見舞客の取次ぎの傍ら原稿の口述筆記や清書に明け暮れた。姉が亡くなった時、彼女は若干二十二歳であったが、幸田露伴らの助けを借りて一葉全集の編纂に向かったという。露伴の娘文の随筆に、晩年の邦子の姿が描かれている。

おわりに

二〇一九年に出版した『鏡花を語り彩る』の「おわりに」で、私は「書いたことの半分でも読んで下さった方に通じただろうかという忸怩たる思いである」と書きましたが、今回もそう思うことしきりであります。

もとより「一葉」と「鏡花」とは時代も世界もちがうし文体もちがいます。同じように論ずることは出来ませんが、共通するところは、そのイントネーションについてです。「イントネーション」とは、主として文の中に現われる高低変化のことを言いますが、その同じような高低の形を示すことからしばしば「アクセント」と混同される方もいるようです。

でも両者には決定的なちがいがあって、アクセントはその地域々々によって定められ、或いは自然に定まっている伝達という合理性を求めての約束ごとですが、イントネーションは、人間が本来持っている感情的な動きによって生じる、地域・民俗を越えた生理的なものなのです。そして、音表（音声表現）においては、これこそがその根本になるものだと、私は考えています。

この本においても、そのことをいかに伝えるかを常に心がけながら述べて来たつもりですが、念のために、そのイントネーション等について論じた一文を「付録〝イントネーション〟と〝アクセント〟」として付け加えさせて頂きました。改めてご一読下されば幸いです。

尚「鏡花」の場合においても、この本においても、私はしばしば「音表」（音声表現）ということばを使って参りました。これは全く私の発明した新語で、「朗読」「語り」「読み聞かせ」など、メロディーを伴わぬことばによる芸術、芸能的行動を指したものです（従って、歌唱・アナウンス・告知などは含みません）。

なぜこのような包括的な名称を用いたかというと、これまで別々のものとして考えがちであった三つの芸能（これらを芸能として考えないという考えもあるでしょうが）を、その共通性により一くくりにすることによって、かえってその個々の特殊性を改めて考える機会を持つことになるのではないかと考えたからです。

この考えは、私がこの音表指導の仕事に携わってきた、約六十年の末に辿りついた結論のようなものですが、異論もあることと思います。

それは喜んでお受けするつもりでおりますので、そのことは勿論、そのほか、何でもどうぞ左記へご連絡下さい。

音声表現学苑事務局
〒一六九―〇〇七五
東京都新宿区高田馬場四―十一―十三
アート第一ビル２A

この本の内容について、アクセントとイントネーションのちがい、音声表現ということばについて等々、そのほかどんなことでも結構です。住所氏名を明記のうえ、郵便にて頂ければ幸いです。

また、「雪の日」夏期講座のＣＤ・ＤＶＤも用意いたしておりますので、そのお申し込みもご遠慮なくどうぞ。

最後に、この本を出すに当たっては、「子どもの未来社」スタッフの松井玉緒さん、デザインを担当して下さった０２０スタジオさん、学苑の鈴木ふみ子君に大変なご苦労をかけました。皆さんへの感謝のことばをもって結びといたします。

二〇二〇年 一二月

坂井 清成

●**著者プロフィール**

坂井清成（さかい・きよしげ）

1935年、神戸市に生まれる。演劇活動のかたわら、俳優、アナウンサー等への音声教育に従事。1961年に音声表現学苑を創設。朗読（語り）・アクセント・せりふを三本柱とする教育に携わっている。行政や自主グループの要請による出張指導や講演を行うほか、他の集団の発表会・公演の指導・演出も手掛ける。学苑付属「朗読集団 ひびき」公演の構成・演出を担当するかたわら、付属のスタジオ「スペィス ひびき」で毎月朗読会を催し指導・出演している。主な著書に、『朗読入門（正・続）』『もの読む術』『共通語アクセント読本（上・下）』（いずれも、三恵出版）、『表現する ときめきとよろこびを〜「朗読」から「語り」へ〜』『鏡花を語り彩る〜蓑谷・紫陽花〜』（ともに、子どもの未来社）がある。

音声表現学苑

〒169−0075 東京都新宿区高田馬場４−11−13　アート第一ビル２Ａ

一葉を語り彩る

雪の日　わかれ道

2021年２月11日　第１刷印刷

2021年２月11日　第１刷発行

著　者　坂井清成

発行者　奥川　隆

発行所　子どもの未来社

〒101-0052 東京都千代田区神田小川町3-28-7 昇龍館ビル602

電話03-3830-0027　FAX 03-3830-0028

E-mail：co-mirai@f8.dion.ne.jp

http://comirai.shop12.makeshop.jp/

印刷・製本　精興社

2021 Printed in Japan ISBN978-4-86412-189-7　C0037